MARCO RAULAND

CHEMIE DER GEFÜHLE

S. Hirzel Verlag
Stuttgart • Leipzig 2001

Die Deutsche Bibliothek – CIP Einheitsaufnahme
Rauland, Marco:
Chemie der Gefühle / Marco Rauland.
- Stuttgart ; Leipzig : Hirzel, 2001
ISBN 3-7776-1093-3

© 2001 S. Hirzel Verlag
Birkenwaldstraße 44, 70191 Stuttgart
Printed in Germany
Einbandgestaltung: de'blik, berlin
Grafiken: Christoph Bühler, Stuttgart
Druck: Gulde Druck GmbH, Tübingen

INHALTSVERZEICHNIS

Die Macht der Moleküle

Gefühle sind eine Gabe unserer menschlichen Natur. Sie bestimmen und prägen unser Dasein und sind so alt wie die Menschheit selbst. War es früher der Angriff eines Raubtieres, der den Neandertaler in Angst und Schrecken versetzte, so können wir heute im Vorfeld eines aufregenden Ereignisses wie beispielsweise einem öffentlichen Auftritt oder einer Prüfung diese unangenehmen Gefühle unseres urzeitlichen Verwandten durchaus nachempfinden.

Gefühle begleiten unser ganzes Leben, stellen es auf den Kopf, bereiten uns eine schöne Zeit – um uns dann im nächsten Moment das Leben zur Hölle zu machen. Wenn wir verliebt sind, lassen uns die Gefühle auf Wolke Sieben schweben, und wenn wir verlassen werden, sind es unsere Gefühle, die dem Höhenflug einen emotionalen Absturz folgen lassen. Wenn wir dann denken, dass unser Leben nie wieder schön sein wird, dann schaffen es unsere Gefühle, dass wir eines Tages alles wieder wie durch eine rosarote Brille sehen können. Unsere Gefühle sind somit in gewisser Weise ein Spiegelbild unseres Lebens. Ohne Gefühle könnten wir uns nicht über unsere kleinen und großen Erfolge freuen und der Tod eines geliebten Menschen würde uns schlicht und ergreifend kalt lassen.

Wenn wir uns mit Gefühlen beschäftigen, dann müssen wir unser Augenmerk somit zunächst auf unseren Kopf richten, genauer gesagt auf das, was in ihm steckt: unser Gehirn. Denn unter unserer Schädeldecke befindet sich die oberste Steuerzentrale unseres Tuns und Handelns, und hier haben auch alle Gefühle ihren Ursprung. Angst, Freude, Trauer, Liebe, Lust, Erschöpfung und Schmerz entstehen in unserem Oberstübchen.

Warum aber empfinden wir Angst und handeln in gefährlichen Situationen oftmals ohne nachzudenken? Warum verlieben wir uns gerade in einen bestimmten Menschen, finden einen anderen jedoch auf Anhieb unsympathisch? Warum sind wir glücklich und im nächsten Augenblick todtraurig? Warum folgt dem ersten Sturm des Verliebtseins, geprägt durch eine geradezu unstillbare sexuelle Begierde, die Sehnsucht nach Zärtlichkeit und die Hoffnung auf eine dauerhafte harmonische Partnerschaft? Warum ist manchmal eine kleine Verletzung ein äußerst schmerzhaftes Ereignis, eine schwere Verletzung hingegen oftmals von keinerlei Schmerzempfinden begleitet?

„Alles Biochemie", ist eine Antwort, die auf diese Fragen in letzter Zeit immer häufiger folgt. Und so falsch ist diese Antwort gar nicht. Denn letztendlich sind Gefühle und vor allem deren körperliche Erscheinungen nichts anderes als die biologische Antwort unseres Körpers auf eine bestimmte Lebenssituation. Diese Reaktionen unseres Körpers haben letztendlich die Aufgabe, unseren Körper auf jede erdenkliche Situation optimal vorzubereiten. So helfen uns die körperlichen Reaktionen, die mit dem Gefühl der Angst einhergehen, eine Gefahrensituation unbeschadet zu überstehen. Und wenn wir uns in einen Menschen verlieben, dann sind die angenehmen spürbaren körperlichen Begleiterscheinungen nichts anderes als ein Zeichen dafür, dass sich unser Körper jetzt für den Empfang von Zärtlichkeiten und nicht zuletzt für einen lustvollen Geschlechtsakt rüstet.

An den körperlichen Reaktionen, die jedes unserer Gefühle begleiten, sind kleine Moleküle beteiligt, die nur darauf warten, endlich in Aktion treten zu können. Sie übersetzen die Gefühlssprache des Gehirns in entsprechende Körperreaktionen. (Wenn das Gefühl im Kopf ein Wort darstellen würde, dann wären die chemischen Botenstoffe die Buchstaben, aus denen sich das Wort im Körper schließlich wieder zusammensetzen würde.)

Die Wirkung dieser körpereigenen „Gefühlsmoleküle" sind aus unserem täglichen Sprachgebrauch nicht mehr wegzudenken. Redewendungen wie: „Mein Adrenalinpegel schoss in die Höhe" oder „Das Testosteron kommt ihm schon aus den Ohren heraus" sind nur zwei Beispiele für unsere mehr oder weniger liebevollen Beschreibungen dieser molekularen Gefühlsvermittler, die stets dafür sorgen, dass wir unsere Gefühle am ganzen Körper zu spüren bekommen.

EIN BLICK UNTER DIE SCHÄDELDECKE

Das gefährlichste Organ am Menschen ist der Kopf.
(Alfred Döblin, deutscher Schriftsteller)

Drei Pfund Pudding

Das menschliche Gehirn besteht zu 80 Prozent aus Wasser, ist weich wie ein Pudding und wiegt etwa drei Pfund. Das sind nur rund vier Prozent des gesamten Körpergewichts eines Menschen. Allerdings ist der Energiehunger unseres Gehirns enorm: 20 Prozent des Gesamtenergiebedarfs unseres Körpers wird unter der Schädeldecke verbraucht. Die wichtigsten Energielieferanten unserer Denk- und Gefühlsfabrik sind Traubenzucker (Glukose) und Sauerstoff, die ununterbrochen über den Blutkreislauf ins Gehirn transportiert werden. Fehlt dem Gehirn Glukose, dann sterben bereits nach drei Minuten die ersten Nervenzellen ab. Fehlt dem Blut jeglicher Sauerstoff, tritt bereits nach etwa zehn Sekunden Bewusstlosigkeit ein. Die cerebralen (vom lateinischen Wort Cerebrum für Gehirn) Blutgefäße versorgen unser Gehirn auch mit Proteinen, die aus vielen unterschiedlichen Aminosäuren aufgebaut sind und so als molekularer Baukasten für die Herstellung aller wichtigen chemischen Substanzen im Gehirn dienen.

Geschützt durch den Schädelknochen ruht unser Gehirn eingebettet in einer gallertartigen Masse im Schädel. Stoßen wir uns den Kopf, wird die Erschütterung von dieser zähen Flüssigkeit wie von einem hydraulischen Stoßdämpfer abgefangen. Das Hin- und Herschwappen der Flüssigkeit macht uns dann in aller Regel nur etwas seekrank im Kopf. Ein sehr starker Schlag auf den Schädel kann jedoch zu einer Gehirnerschütterung führen, bei der auch Zellen im Gehirn zerstört werden können. So sind Boxer nach vielen Treffern am Kopf häufig benommen und können oft auch nicht mehr klar sprechen oder sich koordiniert bewegen. Verletzungen dieser Art sind besonders gefährlich, da geschädigte Gehirnzellen bisher nicht erneuert werden können. Im besten Fall können andere Gehirnzellen die Aufgabe einer zerstörten Gehirnzelle übernehmen.

Das menschliche Gehirn wurde im Verlauf der menschlichen Entwicklung fort-während größer. Hierbei bildeten sich immer wieder neue Gehirnregionen aus, wo-bei sich die entwicklungsgeschichtlich jüngeren Teile des Gehirns jeweils über die älteren gestülpt haben. Man kann also sagen, dass das Gehirn von unten nach oben gewachsen ist und seine Fähigkeiten und Funktionen hierbei immer kom-plexer und anspruchsvoller wurden. So dienen die ältesten Teile unseres Gehirns lediglich der Steuerung lebenswichtiger Körperfunktionen wie Atmung und Herz-schlag. Erst die jüngeren Gehirnabschnitte ermöglichen unser Denken, Lernen und Sprechen.

Wenn wir einen Blick auf dieses wichtige Organ unter unserer Schädeldecke werfen, so drängt sich der Vergleich mit einem Pilz auf: Aus dem Rückenmark kommend ragt das Stammhirn – der entwicklungsgeschichtlich älteste Teil des menschlichen Gehirns – wie ein Stiel in das Innere des Schädels. Ohne dass wir

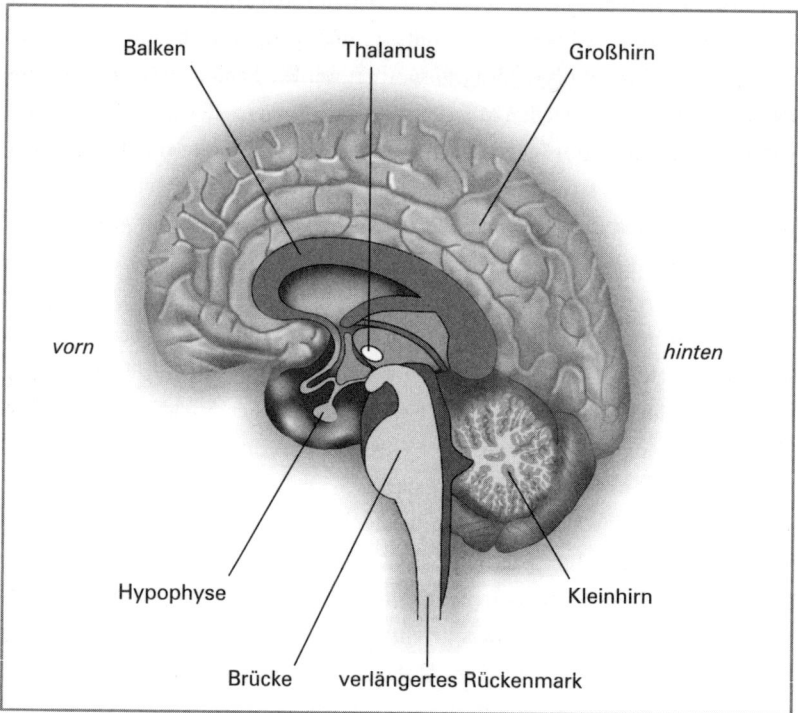

Abb. 1: Querschnitt durch das Gehirn

über den Ablauf dieser Vorgänge nachdenken müssen, kontrolliert das Stammhirn unsere lebenswichtigen Körperfunktionen wie Atmung und Herzschlag. Das Stammhirn (auch Nachhirn oder verlängertes Mark genannt), das bei Tieren auch heute noch praktisch den gesamten Teil des Gehirns ausmacht, steuert auch einige unserer lebenswichtigen Reflexe wie beispielsweise Schlucken, Husten und Erbrechen. Zudem ist das Stammhirn der Knotenpunkt zwischen unserem Gehirn und dem Rückenmark, das den Kopf mit dem Rest des Körpers verbindet. Hier laufen alle Informationen zusammen. An das Stammhirn schließt sich das etwa 150 Gramm schwere Kleinhirn an, das vor allem für die Koordination unserer gewollten und automatischen Bewegungen verantwortlich ist. Alle Bewegungen, vom Werfen eines Handballs bis zum virtuosen Klavierspiel, werden somit vom Kleinhirn gesteuert. Zudem hilft uns das Kleinhirn, das Gleichgewicht zu halten.

Rund ums Frauengemach

Ein Stückchen weiter oberhalb des Kleinhirns, ziemlich genau in der Mitte unseres Gehirns, sitzt das Zwischenhirn. Hier finden wir unter anderem eine Region namens Thalamus, was so viel wie „Frauengemach" bedeutet. Der bohnenförmige und etwa fünf Quadratzentimeter große Thalamus ist eine Art Platzanweiser in unserem Kopf. In diesem Gehirnareal fällt die Entscheidung, ob eine eintreffende Information von Sinnes- oder anderen Körperorganen interessant genug ist, um im Gehirn weiter bearbeitet zu werden, und hier wird auch beschlossen, wohin eine Nachricht schließlich weitergeleitet wird. Der Thalamus ist zudem eng mit einer Reihe anderer Gehirnareale verbunden, allen voran der Amygdala. Die Amygdala stattet in enger Zusammenarbeit mit dem Thalamus und den anderen verbundenen Gehirnabschnitten alle eintreffenden Sinneswahrnehmungen mit einem Gefühl aus. Dieser Zusammenschluss von Zellverbänden rund um den Thalamus wird daher auch als Gefühlszentrum unseres Gehirns bezeichnet. Das Zwischenhirn beinhaltet somit erstmals in der Entwicklungsgeschichte das, was wir gemeinhin als Gefühle bezeichnen. Eine Schlange oder ein Fisch besitzt dagegen keinerlei Gefühle, sondern nur primitive Reaktionen wie Schmerzempfinden.

Unter dem „Frauengemach" finden wir eine etwa fünf Gramm schwere Region von der Größe eines Daumennagels, den so genannten Hypothalamus („hypo" bedeutet „unter", Hypothalamus also „unter dem Thalamus"). Der Hypothalamus, durch den mehr Blut strömt als durch irgendeinen anderen Bereich des Gehirns, spielt eine wichtige Rolle bei der Kontrolle und Steuerung unserer Körpertemperatur und vor allem unseres Hormonhaushaltes. So leitet der Hypothalamus beispielsweise in einer brenzligen Situation sofort den Befehl zur Freisetzung von Stresshormonen an den Organismus weiter. Über „Temperaturfühler" kontrolliert der Hypothalamus zudem ständig die Temperatur unseres Blutes und regelt bei einer Abweichung unseres Körpers von der normalen „Betriebstemperatur" entsprechende Gegenmaßnahmen. Eine Schädigung des Hypothalamus kann somit zu unkontrollierten Temperaturschwankungen sowie einer Entgleisung unseres gesamten Hormonhaushaltes führen.

Mit dem Hypothalamus wiederum steht die Hirnanhangdrüse, auch Hypophyse genannt, in engem Kontakt. Die kirschkerngroße Hypophyse sitzt etwa zehn Zentimeter hinter der Nase und hängt wie ein Zipfelchen am Hypothalamus. Trotz ihres geringen Gewichts von nur etwa einem halben Gramm regelt die Hypophyse in enger Zusammenarbeit mit ihrem „Aufseher", dem Hypothalamus, unseren gesamten Hormonhaushalt. Bei Bedarf setzt sie selbst einige Hormone frei und koordiniert die Hormonproduktion und Ausschüttung in den anderen endokrinen Körperdrüsen. (Das Wort „endokrin" bedeutet „nach innen abscheidend". Zu den endokrinen Drüsen zählen neben der Hypophyse selbst unter anderem die Nebennieren, die Hoden und die Schilddrüse.) Neben der Hypophyse befindet sich noch eine weitere Drüse direkt im Gehirn: die Zirbeldrüse. Sie sitzt ein Stückchen oberhalb des Zwischenhirns und steuert in Abhängigkeit von der Lichtintensität unseren Tag- und Nachtrhythmus. Die Zirbeldrüse verdankt ihren Namen wie viele Gehirnareale ihrem Aussehen: Sie gleicht dem Zapfen einer Kiefer (Zirbel).

Das neue Gehirn

Wie ein Hut spannt sich über das Zwischenhirn schließlich der größte Teil unseres Gehirns, das Großhirn. Das Großhirn, im Fachjargon Kortex genannt, macht etwa 85 Prozent der gesamten Gehirnmasse aus und wird durch eine Längsfurche in zwei große Abschnitte geteilt. Diese beiden Großhirnhälften, die auch als Hemisphären bezeichnet werden, sind über eine Art Standleitung, den so genannten Balken, miteinander verbunden und können so ununterbrochen Informationen miteinander austauschen.

Hierbei steht die linke Gehirnhälfte mit der rechten Hälfte unseres Körpers in Verbindung und umgekehrt. Daher erhalten die linken Körperteile ihre Anweisungen von der rechten Hirnhälfte, die rechte Körperhälfte wird hingegen von der linken Gehirnhemisphäre koordiniert (was die rechte Hand tut, wird somit von der linken Gehirnhälfte gesteuert). Dies ist auch der Grund dafür, dass bei einem Schlaganfall – ausgelöst durch die Verstopfung eines größeren Blutgefäßes im Gehirn – im linken Teil des Gehirns die gegenüberliegende rechte Körperhälfte gelähmt ist und umgekehrt.

Die beiden Gehirnhälften sind abermals in zwei weitere Abschnitte unterteilt, sodass sich im Großhirn insgesamt vier Regionen (oder Lappen) unterscheiden lassen: Stirn-, Scheitel-, Schläfen- und Hinterhirnlappen.

Das Großhirn ist von der Großhirnrinde umgeben, die mit einer Größe von etwa 1 000 Quadratzentimetern (also der Größe einer aufgeschlagenen Tageszeitung) und einer Dicke zwischen 1,5 und 4,5 Millimetern entwicklungsgeschichtlich der jüngste Teil des menschlichen Gehirns ist. Aus diesem Grund hat sie auch ihre Fachbezeichnung: Neokortex (neo = neu, Neokortex bedeutet also: „neues Großhirn").

Milchstraße

In unserem Oberstübchen befinden sich 10^{11} Nervenzellen, was in etwa der Anzahl an Sternen unserer Milchstraße entspricht. Ab dem 20. Lebensjahr sterben pro Tag etwa 10 000 Nervenzellen ab. Diese können nicht wieder ersetzt werden.

Damit die großflächige Hirnrinde unter die Schädeldecke passt, ist sie eng zusammengefaltet, was dem Gehirn – von außen betrachtet – seine runzlige Struktur verleiht. In der Großhirnrinde befinden sich mehr als zwei Drittel der insgesamt etwa 100 Milliarden Nervenzellen unseres Gehirns, die auch Neuronen genannt werden. Zum Vergleich: 850000 Nervenzellen befinden sich im Gehirn einer Biene, eine Fliege muss mit „nur" 350000 Nervenzellen auskommen.

Die Großhirnrinde ist der Sitz des Teils unseres Gehirns, der für unser Bewusstsein, unser Denken sowie unsere Lern- und Sprechfähigkeit verantwortlich ist. Die Großhirnrinde wird auch häufig Graue Substanz genannt, denn durch die unzähligen Zellkerne der Nervenzellen, die hier sitzen, sieht diese Region tatsächlich grau aus. Hier befinden sich also unsere „grauen Zellen", die wir Tag für Tag immer wieder anstrengen müssen. Neben den Nervenzellen finden sich im Gehirn auch so genannte Gliazellen (Stützzellen), die wie Betonträger die einzelnen Gehirnstrukturen stützen und so unserem Denkorgan seine Form geben. Zudem versorgen die Gliazellen, von denen es etwa zehnmal mehr gibt als Nervenzellen, ihre „denkenden" Kollegen mit der erforderlichen Gehirnnahrung.

Verbindungen knüpfen

Damit in unserem Körper alles richtig funktioniert und jedes Organ und Körperteil seine Aufgaben auch ordnungsgemäß ausführen kann, ist eine schnelle und zuverlässige Nachrichtenübermittlung zwischen den Nervenzellen und den Zellen anderer Organe notwendig. Eine Nervenzelle kann hierzu mit mehr als 25000 anderen Zellen in Verbindung stehen. Es gibt somit Billionen Verbindungswege im Gehirn, die verschiedene Bezirke des Gehirns untereinander, aber auch mit dem Körper und seinen Organen verknüpfen. Im Bruchteil einer Sekunde können so unzählige Informationen in unserem Körper ausgetauscht werden.

Für die kurzen Kommunikationswege – also vor allem für den Informationsaustausch der Nervenzellen untereinander – hat jede Nervenzelle des Gehirns kleine Fortsätze, die so genannten Dendriten. Die Dendriten einer Nervenzelle, die üblicherweise wie die Äste eines Baums verzweigt und nur einen Millimeter lang sind, berühren die Dendriten benachbarter Nervenzellen und stellen so einen engen Kontakt zwischen den Nervenzellen her. Die Dendriten, deren Namen auf das altgriechische Wort „Baum" zurückzuführen ist, leiten die erhaltenen Nachrichten in das Innere der Zelle weiter, wo die eintreffenden Informationen schließlich bearbeitet werden. Die Dendriten sind somit die Nachrichtenempfangsstationen unserer Nervenzellen.

Soll eine „Nervennachricht" zu einem weiter entfernten Ort transportiert werden, so erfolgt dies über ein so genanntes Axon (griechisch: Achse). Jede Nervenzelle besitzt in der Regel nur ein solches Axon, welches den Informationsaustausch zwischen den Nervenzellen des Gehirns und – aus Sicht des Gehirns – zu weiter entfernten Organen und Muskeln ermöglicht. Die Axone einer menschlichen Nervenzelle können bis zu einem Meter lang sein. Bei Giraffen können solche Nervenzellenfortsätze sogar mehr als vier Meter erreichen. Wie sonst sollten Nachrichten vom Körper über den extrem langen Hals das Gehirn der Giraffe erreichen?

Zerstörte Axone können im Gegensatz zu den Zellkörpern einer Nervenzelle nachwachsen. Allerdings dauert die Wiederherstellung dieses defekten Weiterleitungssystems mehrere Monate. Bis dahin ist die zugehörige Nervenzelle von der „Außenwelt" abgeschnitten. Erst nach der Eigenreparatur können wieder Nachrichten über dieses Axon versendet werden.

Die einzelnen Axone verschiedener Nervenzellen werden gebündelt und befinden sich zu mehreren in einer Art Schlauch, den Nervenbahnen. Die Nervenbahnen kann man sich wie ein mehrpoliges Stromkabel vorstellen, in dem sich allerhand kleine Verbindungsleitungen befinden, wobei jede Leitung eine andere Information zum Gehirn weiterleitet. Vom Gehirn ausgehend verlaufen insgesamt zwölf Paare dieser Nervenbahnen zu verschiedenen Muskeln und Sinnesorganen.

Wissen wächst

Bei der Geburt bestehen nur sehr wenige Verbindungen zwischen den einzelnen Nervenzellen. Die zahlreichen Verknüpfungen entstehen erst mit dem Lernen. Mit jeder Erfahrung, die wir machen, wird eine neue Verbindung zwischen den Nervenzellen hergestellt und so das Gelernte im engen Netzwerk der Nervenzellen gespeichert.

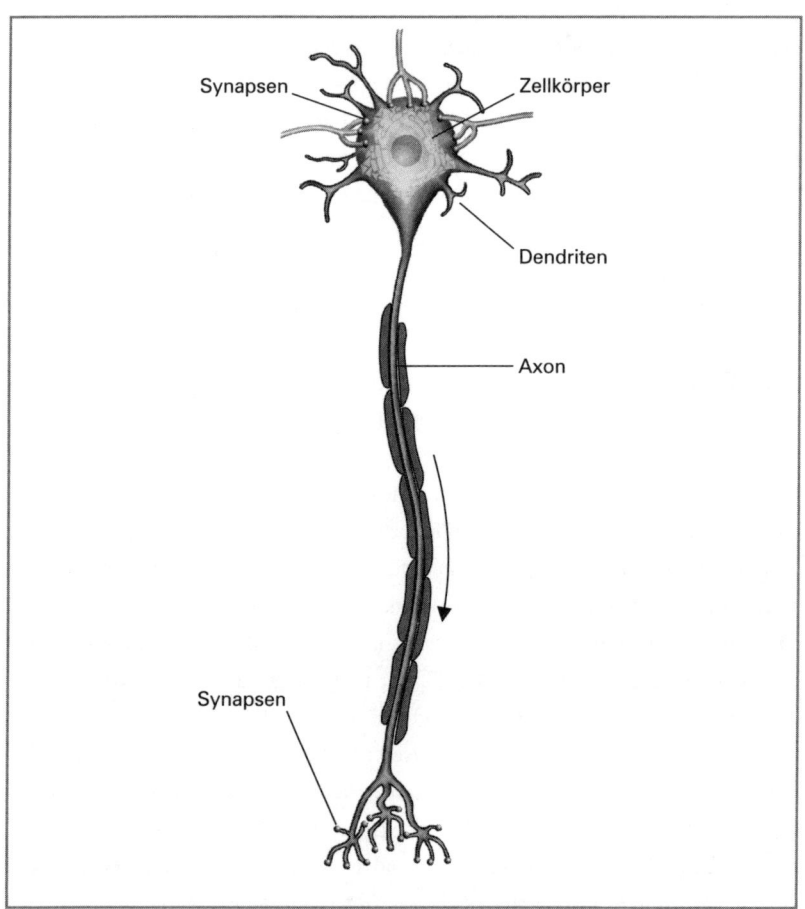

Synapsen

Zellkörper

Dendriten

Axon

Synapsen

Abb. 2: Nervenzelle mit Dendriten und Axon

So geht beispielsweise ein Nervenbahnpaar (also eine Nervenbahn aus der linken und eine aus der rechten Gehirnhälfte) zu den Sinneszellen der Nase (der so genannte Riechnerv), eins zu den Augen (der Sehnerv) und ein anderes Nervenbahnpaar steuert die Bewegung unserer Zunge.

Neben den zwölf Paaren von Nervenbahnen, die direkt vom Gehirn ausgehend zu bestimmten Organen und Muskeln verlaufen, gibt es weitere 31 Nervenbahnpaare, die über das Rückenmark den Kontakt mit bestimmten Organen und Mus-

Gehirnnerven und ihre Funktionen

Nerv	Steuerung und Kontrolle
1. Riechnerv	Geruchswahrnehmungen
2. Sehnerv	Netzhaut des Auges
3. Augenmuskelnerv	Pupillengröße
4. Rollnerv	äußerer Augennerv
5. Drillingsnerv	Ober- und Unterkiefer, Zunge, Gaumen und einige Teile der Gesichtshaut
6. Seitlicher Augenmuskelnerv	äußerer Augenmuskel
7. Gesichtsnerv	Gesichtsmuskeln, die Haut im Bereich der Ohrmuscheln und verschiedene Drüsen im Kopfbereich
8. Hör- und Gleichgewichtsnerv	Gehörempfindung und Vermittlung von Signalen aus dem Gleichgewichtsorgan
9. Zungen-Schlund-Nerv	Schlundmuskulatur, Schleimhaut, Rachenwand, hinteres Zungendrittel, Geschmacksfasern des hinteren Zungendrittels
10. Eingeweidenerv	Brust- und Baucheingeweide, Muskeln in Rachen, Kehlkopf sowie Speiseröhre, Drüsen und Drüsenorgane und den Gehörgang
11. Beinerv	Kopfwender des Halses und des Trapezmuskels des Schulterblatts
12. Zungenmuskelnerv	zungeneigene Muskulatur

keln herstellen. Hierzu zählen zum Beispiel die beiden Nervenbahnen, die den Kontakt zu den Händen herstellen: Eine Nervenbahn führt zur rechten, die andere zur linken Hand. Auch diese Nervenbahnen überkreuzen sich auf ihrem Weg zum Gehirn, wodurch die Informationen der rechten Hand in der linken Gehirnhälfte ankommen und umgekehrt.

Jede dieser Nervenbahnen ist von einer Art Isolierschicht umgeben, damit die transportierte Nachricht nicht entweichen kann. Die Isolierschicht verhindert zudem „Kurzschlüsse" zwischen den einzelnen Nervenzellen während der Signalübertragung (solche „Kurzschlüsse" in den Nervenbahnen können tatsächlich auftreten, beispielsweise bei einem epileptischen Anfall) und verleiht den Nervenbahnen ihre weiße Farbe. Daher hat der innere Teil des Gehirns, durch den diese Nervenbahnen verlaufen, seinen Namen: weiße Gehirnmasse.

Datenautobahn

Zusammen mit dem Gehirn bildet das vom Stammhirn abzweigende Rückenmark das so genannte zentrale Nervensystem, kurz: ZNS. Das Rückenmark ist gewissermaßen die Nachrichtenautobahn unseres Körpers. Unzählige Informationen werden über das Rückenmark zwischen dem Kopf und dem Rest des Körpers hin- und hergesendet. Damit dies möglich ist, erstreckt sich das etwa fingerdicke Rückenmark mit einer Länge von etwa 45 Zentimetern vom Stammhirn ausgehend über den Wirbelkanal bis zu den Lendenwirbeln. Schneidet man das Rückenmark quer durch, so sieht das Innere wie ein grauer Schmetterling in einem weißen Kreis aus. Wie im Gehirn besteht der graue Teil aus den Zellkörpern und die weiße Masse aus den gebündelten Nervenbahnen.

Das Rückenmark selbst liegt geschützt in der Wirbelsäule und besteht wie das Gehirn aus vielen Nervenzellen mit ihren Kommunikationsfortsätzen. Diese treten durch kleine Löcher in der Wirbelsäule aus dem Knochenmark heraus und verzweigen sich weit im Körper. Diese Verästelungen der Nervenbahnen sind gewissermaßen die „Landstraßen" des körpereigenen Nachrichtennetzes, die von der „Autobahn" Rückenmark abzweigen und über die jeder Zielort im Körper erreicht werden kann. Die zahlreichen Verästelungen der Nervenbahnen, die vom ZNS abzweigen, werden auch als äußeres oder peripheres Nervensystem bezeichnet.

Im Rückenmark selbst gibt es zwei Wege der Nachrichtenübermittlung: Wie auf einer zweispurigen Straße finden sich hier Nervenbahnen, die Reize zum Gehirn transportieren, und solche, die eine Nachricht in entgegengesetzter Richtung vom Gehirn an den Organismus weiterleiten. Die Nervenbahnen, die zum Gehirn hin verlaufen, bezeichnet man als sensible oder sensorische (= einen Wahrnehmungsreiz weiterleitende) Bahnen, die Nervenfasern, welche Nachrichten vom Gehirn ausgehend weiterleiten, als motorische (= eine Bewegung oder eine Wirkung auslösende) Bahnen.

In bestimmten Situationen leitet das Rückenmark eine erste Sofortmaßnahme unseres Körpers ein, und zwar bevor die entsprechende Nachricht überhaupt im Gehirn angekommen ist. Wenn wir uns beispielsweise die Hand an einer heißen Herdplatte verbrennen, dann wird diese Information von der Hand zunächst über eine Nervenbahn zum Rückenmark geleitet. Das Rückenmark gibt daraufhin umgehend den Befehl „Sofort zurückziehen!" an die betroffene Hand weiter. Durch diese schnelle Reaktion kann eine schlimmere Verletzung vermieden werden. In solchen Fällen entscheidet also das Rückenmark, was zu tun ist, bevor die entsprechende Information an das Gehirn weitergeleitet wird. Bei diesen blitzartigen Körperreaktionen, die ohne Unterstützung des „denkenden" Teils unseres Gehirns ausgelöst werden, spricht man von einem Reflex. Ein anderer bekannter Reflex ist der Kniesehnenreflex, der durch einen leichten Schlag auf die Sehne unterhalb des Knies ausgelöst wird und das Bein zu einer trittartigen Bewegung anregt. Streichelt man Kleinkindern die Handinnenflächen, kann man den so genannten Greifreflex beobachten, bei dem das Kind automatisch die Finger beugt und zugreift. Das Streicheln der Haut an den Innenseiten der Oberschenkel löst bei Männern einen weniger bekannten Reflex aus: das Hochsteigen der Hoden.

Imposantes Informationsnetz
Alle Nervenbahnen des menschlichen Gehirns ergeben zusammen eine Strecke von 500 000 Kilometern. Das ist weiter als die Entfernung von der Erde zum Mond.

Wer hat hier das Sagen?

Wenn wir ein Bild malen, dann folgt unsere Hand hierbei den Befehlen aus unserem Oberstübchen. Muskelbewegungen wie die beim Malen eines Bildes steuern wir durch so genannte willkürliche Nervenbahnen. Hierbei handelt es sich um Nervenbahnen, die wir bewusst beeinflussen können.

Diese Nachrichtenbahnen benutzen wir auch, wenn wir Klavier spielen, einen Brief schreiben oder einen Hindernislauf unbeschadet überstehen wollen. Anders ist es bei der Verdauung: Die hierfür notwendigen Vorgänge entziehen sich unserer bewussten Kontrolle – die Verdauungsmuskeln nehmen ihre Tätigkeit völlig eigenständig auf.

Die hierfür notwendigen Vorgänge werden von so genannten unwillkürlichen Nervenbahnen, also Nervenbahnen, die wir nicht bewusst beeinflussen oder steuern können, geregelt. Versuchen Sie einmal Ihre Magenmuskulatur zu bewegen, es wird Ihnen nicht gelingen. Wenn Sie jedoch zur nächsten Seite umblättern möchten, dann können Sie dies tun, wann immer Sie wollen.

Der Teil des Nervensystems, den wir nicht beeinflussen können, wird als autonomes (= eigenständiges) oder vegetatives (= nicht vom Willen gesteuertes) Nervensystem bezeichnet. Wenn Ihnen vor Angst der Schweiß ausbricht, so können Sie dies genauso wenig verhindern wie das Rotwerden bei Aufregung.

Das autonome Nervensystem reguliert die Funktion und Feinabstimmung der inneren Organe und besteht aus zwei Arten von konkurrierenden Nervenbahnen. Das „Befehlszentrum" des autonomen Nervensystems sitzt unter unserer Schädeldecke und ist eine Gehirnregion, die wir bereits kennen gelernt haben: der Hypothalamus. Auf seinen Befehl hin wird einer der beiden „Gegenspieler" des autonomen Nervensystems aktiviert, je nachdem, welche Aufgaben unser Körper gerade verrichten muss. So gibt es den sympathischen Teil, der in Aktion tritt, wenn unsere Organe auf eine körperliche Anstrengung vorbereitet sein müssen (beispielsweise in einer Gefahrensituation oder bei einem sportlichen Wettstreit).

In solchen Situationen sorgt die Aktivierung des Sympathikus dafür, dass unter anderem unser Herz und unsere Muskeln mit besonders viel Sauerstoff und Nährstoffen versorgt werden und wir somit für diese körperlichen Anstrengungen bestens gerüstet sind. Unser Großhirn wird in diesen Fällen nicht nach seiner Mei-

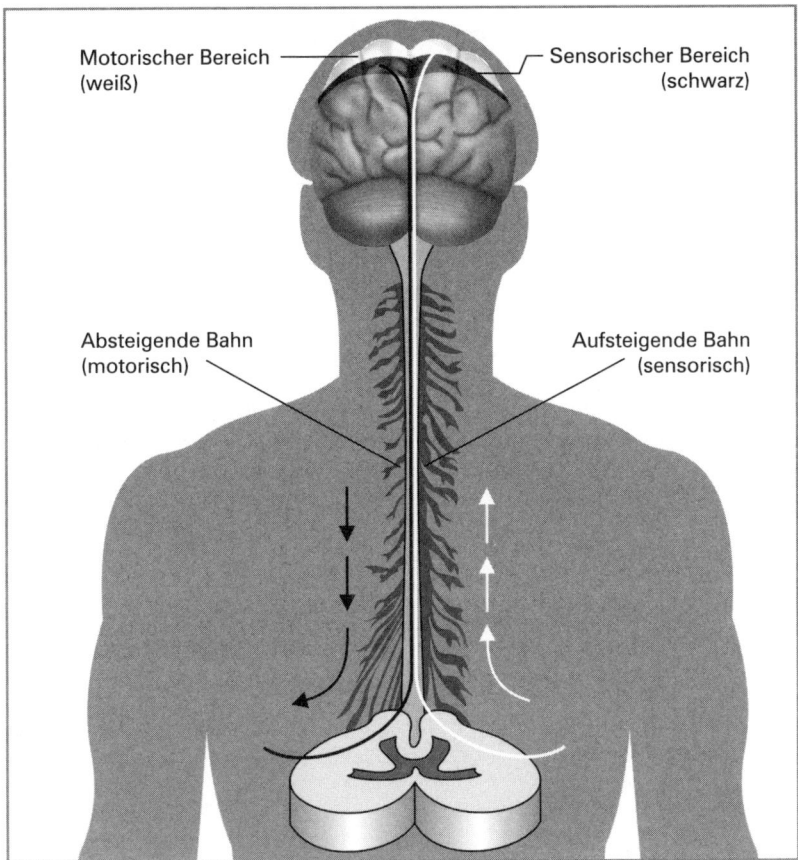

Motorischer Bereich (weiß)

Sensorischer Bereich (schwarz)

Absteigende Bahn (motorisch)

Aufsteigende Bahn (sensorisch)

Abb. 3: Nervenbahnen im Rückenmark

nung gefragt und unser Körper allein durch das autonome Nervensystem gesteuert – unabhängig vom denkenden Teil unseres Oberstübchens.

Wenn sich unser Körper erholt, dann übernimmt der Parasympathikus die Regie über unsere Körperfunktionen. Der Parasympathikus kurbelt unter anderem die Verdauung an und sorgt dafür, dass unser Herz wieder in einem entspannenden Rhythmus schlägt. Er ist ein körpereigenes System, welches den Organismus im „Energiesparprogramm" kontrolliert und steuert. Der Parasympathikus hilft uns so, immer wieder neue Energie zu tanken.

Fassen wir das Wirrwarr an unterschiedlichen Nervenbahnen, über die alle unsere Körper- und Organfunktionen gesteuert werden, noch einmal kurz zusammen: Das zentrale Nervensystem (ZNS) unseres Körpers besteht aus dem Gehirn und dem Rückenmark und gleicht einer mehrspurigen Datenautobahn. Nachrichten, die in Richtung Gehirn versendet werden, laufen über sensible Bahnen, solche, die vom ZNS zu den unterschiedlichen Körperregionen gesendet werden, über motorische Bahnen. Die sensiblen und motorischen Bahnen verästeln sich in viele kleine Nervenbahnen, die „Bundes- und Landstraßen" unserer körpereigenen Nachrichteninfrastruktur, die man als äußeres Nervensystem bezeichnet. Daneben grenzt man noch Nervenbahnen voneinander ab, die unser unwillkürliches Handeln steuern (das autonome oder vegetative Nevensystem) und solche, die wir bewusst beeinflussen können. Der sympathische Teil dieses Steuerungssystems übernimmt hierbei die Kontrolle in Not- und Gefahrensituationen sowie bei gesteigerter Aktivität. In Zeiten der Ruhe und Entspannung wird unser Organismus dagegen durch den parasympathischen Teil des unwillkürlichen Nervensystems gesteuert.

DIE TORE DER WAHRNEHMUNG

Wir haben wunderbare Sinnesorgane bekommen;
sie sind die Tore der Wahrnehmung,
die Pforten zum Himmel.
(Albert Hofmann, Schweizer Chemiker)

Sinnescocktail

Eigentlich wollte Stefan ja gar nicht ausgehen, aber Thomas hatte ihn so lange am Telefon genervt, bis er doch zugesagt hatte. In der Bar war nicht besonders viel los und Stefan ärgerte sich schon, dass er nicht zu Hause geblieben war. Gedankenversunken starrte er auf sein Bierglas. „Hallo, ist hier noch frei?" Stefan blickte in die Richtung, aus der die fremde Stimme kam. Und was er sah, ließ sein Herz augenblicklich vor Freude hüpfen. „Klar, nehmen Sie Platz", stammelte Stefan verlegen und plötzlich nahm er den Lautstärkepegel der Musik nicht mehr wahr. Seine Ohren versuchten nur noch, jedes Wort seiner Tischnachbarin zu erhaschen. Während er immer wieder heimlich zu seiner neuen Tischnachbarin hinüberblinzelte und ihr rotes Kleid bewunderte, jagten Tausende von Gedanken durch seinen Kopf: „Wie kann ich sie nur ansprechen, mir fällt einfach nichts Geistreiches ein!" Immer wieder versuchte Stefan einen Blick der Unbekannten zu erhaschen. „Mein Gott, was hat sie doch für große strahlende Augen", dachte Stefan immer wieder. Völlig gedankenverloren stocherte Stefan in dem Essen auf seinem Teller herum. Plötzlich wurden seine Gedanken unterbrochen: „Kommst du öfter hierher?" – Die wunderschöne Stimme drang wieder an seine Ohren. „Äh, ja, nein, wieso?" Oh Gott, was stammelte er da nur für einen Unsinn. „Nein, ich bin zum ersten Mal hier, und du?", hörte er sich sagen. Als die Unbekannte Stefan schließlich um Feuer bat, berührte sie wie zufällig seinen Arm.

Unser Gehirn – allem voran die Großhirnrinde – ist der Sitz unseres Bewusstseins, unseres Denkens und Lernens. Hier befinden sich diejenigen Nervenzellen, die für die Bearbeitung und Auswertung der verschiedenen Sinneswahrnehmungen, die Ausführung bestimmter Tätigkeiten und unser Denken verantwortlich sind. Doch bevor unsere grauen Zellen überhaupt tätig werden können, müssen sie mit entsprechenden Informationen versorgt werden. Hierfür haben wir unsere Sinnesorgane.

Die Sinnesorgane sind die Tore unserer Wahrnehmungen, ihre Signale die Auslöser unserer unterschiedlichen Emotionen sowie deren körperliche Auswirkungen. Ohne die ständigen Informationen von den Sinnesorganen könnten wir nicht lernen, keine Erfahrungen sammeln, und auch Gefühle wären uns völlig fremd. Denn die Sinnesorgane sind unsere einzigen Informationsquellen über die Ereignisse in unserer Welt. Wir sehen, schmecken, riechen, hören und fühlen unsere Umgebung und projizieren so das Bild, den Geschmack, die Gerüche, die Töne und die Formen der Welt in unser Gehirn.

Wenn wir beispielsweise einen fremden Menschen erblicken, dann analysieren unsere Sinne diesen bis ins kleinste Detail und funken augenblicklich alle aufgenommenen Informationen zum Gehirn. Hier wird nun um eine Bewertung des Cocktails aus den verschiedenen Sinneswahrnehmungen gebeten. So sind wir durch die unerwartete Begegnung mit einer schönen Unbekannten (oder für andere Geschmäcker: einem ebenso schönen männlichen Wesen) plötzlich einer Vielzahl von neuen Reizen ausgesetzt, die unser Gehirn in einen Zustand höchster Betriebsamkeit versetzen. Geht es um die Vergabe von Sympathie und Antipathie, dann haben alle Sinne ein Mitspracherecht, und wenn nur einer der Sinne zu einem abschlägigen Urteil kommt, dann ist es schnell um unsere mögliche Zuneigung für einen Menschen geschehen.

Alle Meldungen von den Sinnesorganen werden über die sensiblen Nervenbahnen zum Gehirn weitergeleitet. Manche Reize gelangen direkt in die Kommandozentrale unter unserer Schädeldecke, andere wiederum, wie die von den Händen, werden zunächst zum Rückenmark gesendet und von dort schließlich zum Gehirn weitergeleitet. Im Gehirn werden die eingetroffenen Sinnesmeldungen erkannt und analysiert, und von hier aus wird dann auch eine entsprechende Körperreaktion ausgelöst. So laufen wir oftmals davon, wenn wir eine Gefahr erblicken, da unser Gehirn den Beinen über die motorischen Nervenbahnen den Befehl hierzu erteilt. Die Meldungen der Sinnesorgane sind aber auch die Auslöser unserer unterschiedlichen und facettenreichen Emotionen: Hätten wir keine Augen, so könnte uns ein bestimmter Anblick nicht erfreuen, ohne Ohren wäre es uns nicht möglich, ein Musikstück zu genießen, ohne unseren Geruchssinn könnte uns das andere Geschlecht nicht mit Parfüms betören, ohne Geschmack würde das exquisite Fünf-Gänge-Menü lediglich unseren Hunger stillen und ohne unseren Tastsinn könnte uns die Berührung eines geliebten Menschen nicht in diesen erregenden Zustand versetzen.

In all unseren Sinnesorganen befinden sich bestimmte Zellen, die durch einen entsprechenden Reiz aktiviert werden können und so die aufgenommenen Informationen zum Gehirn weiterleiten. Diese „erregbaren" Zellen der Sinnesorgane bezeichnet man als primäre Sinneszellen. Man unterscheidet zwischen verschiedenen Arten von Sinneszellen, je nachdem, auf welche Art von Reizen sie ansprechen. Bei den Sinneszellen der Augen handelt es sich um Photozellen, Zellen also, die durch Licht angeregt werden. Daneben gibt es so genannte Mechanozellen, die mechanische Reize, wie Berührungen und Verletzungen, erfassen und vor allem in der Haut und in den Ohren zu finden sind. Thermozellen hingegen ermöglichen die Messung von Temperaturschwankungen und so genannte Chemozellen werden durch chemische Substanzen gereizt. Solche chemischen Detektoren befinden sich unter anderem in unserer Nase und können bestimmte Moleküle in der Luft „erschnüffeln". Daneben befinden sich Chemozellen auf der Zunge und dem Gaumen, wo wir mit ihrer Hilfe Moleküle auch schmecken können.

Die Farben des Regenbogens

In vielen Lebenssituationen sind es die Photozellen der Augen, welche die ersten Informationen an das Gehirn senden und das Gefühlskonzert – gespielt auf der Klaviatur der Sinne – eröffnen. Wie wichtig gerade das Sehen für uns Menschen ist, zeigt sich allein daran, dass etwa ein Drittel der Großhirnrinde mit der Bearbeitung von optischen Reizen beschäftigt ist. Etwa 70 Prozent unserer täglichen Wahrnehmungen verdanken wir unseren Augen. Im Vergleich hierzu werden zum Hören nur zwei Prozent der Hirnrinde aktiv.

Bevor wir uns eingehender mit dem Sehsinn beschäftigen, wollen wir einen kurzen Ausflug in die Physik, genauer gesagt die Farbenlehre, unternehmen: Das

Sonnenlicht strahlt auf die Erde herab und gibt unserer Welt ihre Farbe. Das Licht der Sonne setzt sich aus der bunten Palette aller natürlichen Farben zusammen, deren Mischung wir normalerweise nur als weißes Licht wahrnehmen. Betrachten wir jedoch einen Regenbogen, so wird die meist verborgene Farbenvielfalt des Sonnenlichts eindrucksvoll sichtbar: Fällt nämlich ein Sonnenstrahl auf einen Regentropfen, so werden die einzelnen Farbkomponenten des weißen Lichts von diesem Tropfen unterschiedlich stark abgelenkt, wodurch das Licht in seine Farben aufgetrennt wird. Nun wird das breite Farbenspektrum des Sonnenlichts von Rot über Gelb bis Violett für unsere Augen sichtbar. Nicht viel anders verhält es sich mit der bunten Farbenvielfalt unserer Welt: Gräser sind für unsere Augen grün, da sie alle Farbkomponenten des Sonnenlichts außer dem grünen Anteil schlucken; die Farbe Grün hingegen prallt an ihnen ab. Trifft ein solcher zurückgeworfener Lichtstrahl auf unser Auge, so wird er auf die Linse hinter der Pupille geleitet, die das Bild scharf stellt und auf die dahinter liegende Netzhaut projiziert. Die gerade einmal zwei bis vier Quadratzentimeter große Netzhaut ist quasi eine Art Leinwand, auf der das Bild der Wirklichkeit abgebildet wird. Hier nehmen wir nun das Grün der Gräser bewusst wahr.

Mehr als 125 Millionen Sehzellen sitzen wie kleine Sensoren auf der Netzhaut und werden durch einen eintreffenden Lichtstrahl dazu angeregt, die empfangene optische Botschaft – Farbe und Lichtstärke – zu erfassen. Zwei Arten von Sehzellen teilen sich diese Aufgabe: die lichtempfindlichen Stäbchen und die farbsensiblen Zapfen. Die Stäbchen messen die Stärke eines Lichtreizes, können jedoch nicht zwischen einzelnen Farben unterscheiden. Die Farberkennung übernehmen die Zapfen, bei denen man drei verschiedene Arten unterscheiden kann, welche jeweils auf eine der Farben Rot, Blau oder Grün ansprechen.

Andere Farben werden erkannt, wenn Kombinationen der unterschiedlichen Zapfentypen gereizt werden. Werden zum Beispiel die Zapfen für Rot und Grün gleichermaßen angeregt, dann interpretiert das Gehirn diese Reizkombination als Gelb. Unter optimalen Bedingungen ist das menschliche Auge so in der Lage, bis zu zehn Millionen verschiedene Farbtöne zu unterscheiden. Auf den Sehzellen selbst befinden sich kleine Moleküle, die aus zwei Teilen zusammengesetzt sind. Wird ein solches Molekül von einem Lichtreiz getroffen, bricht es auseinander und sendet dadurch ein chemisches Signal aus. Dieses regt die Sehzellen nun dazu an, ein Signal über den Sehnerv zur Großhirnrinde zu senden. Mit Lichtgeschwindigkeit entsteht dann ein Bild der Umwelt in unserem Kopf. Sehr viel zeitaufwändiger und komplizierter ist jedoch der Vorgang, der aus dieser flachen „Kopie" eine dreidimensionale Vorstellung der uns umgebenden Welt unter unserer Schädeldecke entstehen lässt. So sind Licht und Farbe eines Gegenstandes nicht die einzigen Informationen, die unsere Augen erfassen können. Bewegt sich beispielsweise ein Objekt auf uns zu oder von links nach rechts, so wird dieser Vorgang ebenfalls von den Sehzellen unserer Augen erfasst und augenblicklich an die Nervenzellen im Sehzentrum unseres Gehirns gefunkt. Oder anders ausgedrückt: Das Gehirn kann anhand der erhaltenen Informationen zwischen einer Tomate, die friedlich auf dem Küchentisch liegt, und einer Tomate, mit der nach uns geworfen wird, unterscheiden. Wäre diese Unterscheidung nicht möglich, so könnten wir eine drohende Gefahr nicht rechtzeitig erkennen und auch keine entsprechende Rettungsaktion einleiten. Im Falle des „Wurfgeschosses" Tomate ist es uns somit in aller Regel noch möglich den Kopf einzuziehen, bevor wir getroffen werden.

Die Sinneszellen der Augen vermitteln uns einen ersten Eindruck von unserer Umgebung. Nur wenig später treffen dann schon die Informationen der anderen Sinnesorgane in unserem Oberstübchen ein und runden die „gehirntechnische" Bewertung der Lebenssituation ab.

Eine Schnecke verbindet

Stellen Sie sich vor, Sie stehen in einer Bar und werden von einer fremden Person unvermittelt angesprochen. Die Frage „Kommst du öfter hierher?" spricht nun eine weitere Wahrnehmungspforte bei uns an: das Gehör.

Die Stimme verrät eine ganze Menge über einen Menschen. Ohne sich jemals gesehen zu haben, verlieben sich manche Menschen allein durch stundenlanges Telefonieren durch den Klang der Stimme ineinander. Oder denken Sie an Telefonsex, bei dem allein eine erotische Stimme die Phantasie ankurbeln kann. Man sollte also die Kraft der Stimme nicht unterschätzen, wenn es um die Verteilung von Sympathie und Antipathie geht.

Ein besonderes Verhältnis haben wir zu der Stimme unserer Mutter. Wenn wir krank sind, dann kann ihr beruhigender Klang wie heilende Medizin wirken. Kein Wunder: Die Worte der Mutter sind die ersten Sprachlaute, die wir bereits im Mutterleib hören, und untermalt vom mütterlichen Herzschlag gibt diese Stimme bereits dem Ungeborenen das Gefühl der Geborgenheit.

Wie aber findet die mütterliche Stimme oder Mozarts „Kleine Nachtmusik" ihren Weg in unser Gehirn? Ein Geräusch, Ton oder Laut ist zunächst nichts anderes als eine Schwingung im Raum oder, anders ausgedrückt: eine Schallwelle. Periodische Schwingungen werden als Ton oder Klang empfunden, unperiodische als Geräusch oder Krach. Damit diese Schwingungen ins Gehirn übertragen werden können, müssen sie zuvor einige Hürden in unserem Hörorgan – dem Ohr – nehmen. Hierbei werden sie immer wieder in andere Signalarten umgewandelt.

Das Ohr ist ein äußerst komplexes und trickreiches Gebilde, dessen vollständige Funktionsweise bis heute nicht gänzlich geklärt ist. Zum Verständnis der Vorgänge bei der Vertonung unserer Welt soll uns jedoch folgende vereinfachte Darstellung der Vorgänge beim Hören ausreichen: Zunächst gelangt ein Ton in Form einer Schallwelle durch die Ohrmuschel in den so genannten Gehörgang. (Beim Kammerton A handelt es sich zum Beispiel um einen Ton, der periodisch 330-mal in einer Sekunde schwingt.) Die Schallwelle läuft den Gehörgang entlang, bis sie auf das Trommelfell trifft, welches durch die ankommende Welle in Schwingung versetzt wird. Durch die Vibration des Trommelfells wird der Ton – in einer Art Hebelwirkung – über die Gehörknöchelchenkette aus Hammer, Amboss und Steigbügel ins Innenohr übertragen. Dort gelangt der Ton schließlich in die so genannte Gehörschnecke, die mit einer Flüssigkeit gefüllt ist. In dieser Flüssigkeit erzeugen die Schwingungen des Trommelfells nun Wellen. Man kann sich dies wie die kreisförmigen Wellen, die in einem Teich entstehen, wenn man einen Stein hineinwirft, vorstellen. Ein großer Stein verursacht Kreise mit einem größeren Radius auf der Wasseroberfläche als ein kleiner Stein. So ähnlich verhält es sich auch mit den

Tonwellen in der Gehörschnecke. Ein tiefer Ton (wenige Schwingungen pro Sekunde) legt eine längere Strecke in der Flüssigkeit der Schnecke zurück als ein hoher Ton (viele Schwingungen pro Sekunde), der früher abgebremst wird. Allerdings bewegt sich ein hoher Ton schneller fort als ein tiefer Ton. (Ein sehr hoher Ton mit 10 000 Schwingungen in der Sekunde bewegt sich mit einer Geschwindigkeit von 150 Meter pro Sekunde im Innenohr vorwärts. Bei einem tiefen Ton, der 100-mal in der Sekunde schwingt, beträgt die Geschwindigkeit nur noch acht Meter in der Sekunde.)

Diese Laufstrecke einer Schwingung im Innenohr wird durch kleine Haarfühler gemessen, die an den Hörzellen hängen, diese gewissermaßen kitzeln und so weitergeben, wie weit ein Ton gelaufen ist. Mehr als 30 000 solcher Haarfühler befinden sich im Innenohr. Jeder Hörzellenfühler misst eine bestimmte Tonhöhe und sendet deren Laufstrecke über die Nervenbahnen des Hörnervs zur Großhirnrinde. Hier entsteht nun aus der Meldung der Ohren ein Ton in unserem Kopf.

Das akustische Signal wird auf dem oben beschriebenen Weg etwa 100fach verstärkt. Die tiefste Note, die ein Mensch hören kann, ist ein Ton mit nur 20 Schwingungen in der Sekunde. Die höchste Note ist ein schrilles Pfeifen mit einer Schwingungsrate von 20 000 Schwingungen in einer Sekunde. Am besten hören wir Schallwellen im Bereich von 1000 bis 5000 Schwingungen pro Sekunde. Bei höheren und tieferen Tönen ist unsere Geräuschempfindlichkeit um ein Tausendfaches reduziert. Dies hat durchaus seinen Sinn, da wir so unsere körpereigenen und eher störenden Geräusche wie das Rauschen des Blutes oder das Knacken unserer Gelenke bei Bewegung in der Regel nicht so intensiv wahrnehmen. Wird unseren Ohren eine Geräuschbelastung zu groß oder sind wir permanentem Stress

---

Elektronische Ohrkrücken

Die Funktion der Haarfühler im Innenohr lässt sich auch künstlich nachahmen: Implantiert man Gehörlosen einen Mikrochip, auf dem sich hauchdünne Elektroden befinden, so können diese elektronischen Fühler ebenfalls die Laufstrecke eines Tones im Innenohr messen und diese Information zur Großhirnrinde weiterleiten. Hier wird der elektronisch gemessene Ton dann tatsächlich „gehört".

ausgesetzt, kann es passieren, dass die Ohren einfach „zu machen": Aufgrund einer verringerten Durchblutung des Innenohrs kann ein Hörsturz auftreten, der im schlimmsten Fall zur Taubheit führen kann. Sehr hohe Lautstärken sind insofern gefährlich, da sie Hörschäden hervorrufen können, indem sie die sensiblen Haarzellen in der Schnecke des Ohrs zerstören.

Süßes auf der Zungenspitze

Während beim Sehen Licht und beim Hören Schallwellen in eine Sinnesnachricht umgewandelt werden, sind es beim Schmecken (und, wie wir später noch sehen werden, auch beim Riechen) chemische Moleküle, die erkannt werden.

Landet ein kulinarischer Leckerbissen in unserem Mund, kommt er als Erstes mit der Zunge und dem Gaumen in Kontakt, wo sich die so genannten Geschmacksknospen befinden. Bei den Geschmacksknospen handelt es sich um molekulare Andockstellen, die durch bestimmte Molekülarten aktiviert werden.

Der Mensch besitzt fünf verschiedene Arten solcher Andockstellen, von denen vier jeweils auf einen der „klassischen" Grundgeschmackstypen ansprechen: süß, sauer, salzig und bitter. Erst kürzlich entdeckten US-amerikanische Wissenschaftler einen weiteren Geschmackssinn auf der Zunge: umami. Umami ist ein eigenständiger Geschmack, der sich nicht aus den anderen vier Grundgeschmackstönen kombinieren lässt und in Japan den herzhaften Geschmack von eiweißreicher Nahrung wie Fleisch, Fisch oder altem Käse umschreibt. Dieser fünfte Geschmack wird durch die Aminosäure Glutamat vermittelt, die bisher vor allem als Geschmacksverstärker bekannt war.

Geschmacksverstärker sind chemisch in der Lage, bestimmte Geschmacksrichtungen zu verstärken oder gar zu überlagern. Bei empfindlichen Menschen kann Glutamat zu dem so genannten China-Restaurant-Syndrom führen, dessen Symptome Herzrasen, Gesichtsrötung, Kopfschmerz und Benommenheit sind.

Im Ayurveda, der jahrtausendealten indischen Gesundheitsphilosophie, ordnet man dem Mundraum sogar insgesamt sechs Geschmacksrichtungen zu: Neben „süß", „sauer", „salzig" und „bitter" sollen auch „herb" und „scharf" erkannt werden.

Die vier klassischen Geschmacksdetektoren befinden sich an verschiedenen Stellen an Zunge und Gaumen. So sitzen die Geschmacksknospen für „süß" vorn auf der Zungenspitze, die Geschmacksdetektoren für „Saures" am Zungengrund, also in der Nähe des Rachens. Die „salzigen" Geschmackszellen befinden sich seitlich und am Gaumen und ganz hinten im Gaumen wird „Bitteres" wahrgenommen. Aus diesen vier Grundgeschmackstönen lassen sich alle Geschmackseindrücke mischen. Ein bisschen süß heißt also, dass neben den süßen Geschmacksrezeptoren auch ein paar saure Geschmackszellen gereizt werden.

Ein Kind besitzt etwa 10 000 Geschmacksknospen auf der Zunge, die Anzahl nimmt allerdings mit zunehmendem Alter stetig ab. Die Geschmackswahrnehmung erfolgt durch große Moleküle, die ihre Form verändern, wenn sie durch eine entsprechende Substanz gereizt werden. Durch diese Strukturveränderung wird schließlich das Startsignal für den Versand einer Geschmacksnachricht an das Gehirn gegeben.

Der biologische Sinn unseres Geschmacks ist einfach erklärt: Über den Geschmack können wir die Qualität unserer Nahrung ermitteln. Schmeckt eine Speise beispielsweise sehr bitter, dann können die Geschmacksrezeptoren in Zusammenarbeit mit dem Stammhirn den Befehl zum Erbrechen auslösen. Giftige oder verdorbene Nahrungsmittel gelangen somit in aller Regel erst gar nicht in unseren Magen und somit auch nicht in unseren Körper.

Die Geschmacksknospen für „bitter" sind 10 000-mal empfindlicher als jene für „süß"; auf diese Weise können die meist bitteren giftigen Substanzen besonders schnell wahrgenommen werden. Als angenehmen „Nebeneffekt" ermöglicht uns der Geschmackssinn jedoch auch das kulinarische Genussempfinden beim Verzehr unserer Lieblingsspeise. Doch dieser Leckerbissen würde uns nur halb so gut munden, wenn wir nicht noch einen Sinn hätten, der diesen köstlichen Genuss abrundet: den Geruchssinn.

Moleküle schnuppern

Während der Geschmackssinn nur vier Grundgeschmacksdetektoren hat, finden sich in unserer Nase mehr als 100 verschiedene Geruchsrezeptoren. Kein Wunder also, dass ein Weinkenner nicht nur seinen Gaumen mit dem Traubensaft benetzt, sondern auch seine Nase zur kritischen Prüfung über das Glas hält. Fällt der Geruchssinn aus, dann können wir nur noch grob zwischen den vier Grundgeschmacksrichtungen unterscheiden. Dies merken wir zum Beispiel, wenn wir einen Schnupfen haben und viele Speisen kaum mehr Geschmack haben.

Entwicklungsgeschichtlich ist der Geruchssinn der älteste Sinn. Bereits vor mehr als vier Milliarden Jahren orientierten sich die Einzeller mithilfe des Geruchs. Beim Menschen hat sich der Geruchssinn im Laufe seiner Entwicklung zugunsten anderer Sinne wie dem Sehen und Hören zurückentwickelt. Offensichtlich brauchte der Mensch irgendwann keinen ausgeprägten Geruchssinn mehr, um eine Gefahrensituation zu erkennen und somit sein Überleben zu sichern. Ganz im Gegensatz zu manchen Tierarten wie Hunden, Katzen oder Insekten, die sich auch heute noch fast ausschließlich mithilfe des „richtigen Riechers" orientieren. Nicht umsonst werden Hunde beispielsweise von der Polizei zur Spurensuche auf der Jagd nach Verbrechern oder illegalen Drogen eingesetzt. Ein wahrer Meister des guten Riechers ist die männliche Motte, die ein Weibchen über eine Entfernung von mehr als einem Kilometer erschnuppern kann.

Tausende von Duftmolekülen schwirren in der Luft herum und gelangen so auch in unsere Nase. Im hinteren Teil der Nase sitzen die Sinneshaare der Riechzellen wie kleine Fühler in der Nasenschleimhaut. Diese mit einer Fläche von fünf Quadratzentimetern pro Nasenloch relativ kleine Nasenschleimhaut ist mit mehr als zehn Millionen solcher Riechzellen bestückt, wobei jede Geruchssinneszelle nur von einer bestimmten Duftgruppe stimuliert wird. Werden diese „Schnüffelzellen" von einem bestimmten Duftmolekül gekitzelt, dann verändern sie, ähnlich wie die Geschmackssinneszellen, ihre Struktur und – ausgelöst durch eine Reihe von chemischen Reaktionen in der Geruchzelle – leiten sie eine Botschaft zum Gehirn weiter.

Auch wenn der menschliche Geruchssinn nicht der ausgeprägteste unserer Sinne ist, so können wir dennoch jede Menge Gerüche wahrnehmen; manche be-

wusst, wie den Geruch von frischem Kaffee, andere eher unbewusst, wie den Körpergeruch eines anderen Menschen. Und da, wo es biologisch noch sinnvoll ist,
kann auch die menschliche Nase erstaunlich genau differenzieren. So erkennt ein
Kleinkind den Geruch seiner Mutter, und umgekehrt kann die Mutter das getra-
gene Hemdchen ihres Kindes mit hoher Treffsicherheit allein anhand des Geruchs
von anderen Kinderhemdchen unterscheiden, auch wenn das Kind gerade erst fünf
Stunden auf der Welt ist.

Bereits nach etwa fünf Minuten werden die Riechnerven durch einen bekannten Geruch nicht mehr erregt. Dies ist der Grund dafür, dass wir uns selbst nicht
riechen können. Diese Geruchsanpassung unserer Riechnerven ist aber vor allem
eine sinnvolle Sicherheitsvorkehrung. Stellen Sie sich vor, wir würden alle auf uns
einströmenden Gerüche permanent wahrnehmen. In unserem Kopf würde das „Ge-
ruchschaos" ausbrechen und wir könnten gefährliche Gerüche wie die von giftigen Gasen nicht mehr erkennen. Interessanterweise kann man auch bestimmte
Krankheiten an ihrem Geruch erkennen. Die Pest riecht nach Apfel, Typhus nach
frischem Brot, Masern nach frisch gerupften Federn und Diabetes süßlich. Ein Arzt
mit einem guten Riecher kann so bestimmte Erkrankungen allein mit der Nase
diagnostizieren.

Zwei Quadratmeter Sinnlichkeit

Neben ihrer Funktion als äußeres Schutzschild unseres Körpers, das uns vor Verletzungen, Strahlung und dem Eindringen von Krankheitserregern bewahrt, ist die
Haut mit einer Gesamtfläche von etwa zwei Quadratmetern und einem Gewicht

von etwa einem Kilogramm nicht nur unser größtes, sondern auch unser schwerstes Sinnesorgan. Allein auf einem Quadratzentimeter Haut befinden sich mehr als eine Million Hautzellen, 100 Schweißzellen und nahezu 3000 Sinneszellen, die, je nach Art, auf Druck, Temperatur oder chemische Reize reagieren. Die Drucksinneszellen werden bei Erschütterungen, Verletzungen, aber auch bei zärtlichen Berührungen aktiviert und leiten ihre Informationen an das Gehirn weiter. In einer Hand befinden sich mehr als 15 000 dieser druckmessenden Zellen, die jeden Berührungsreiz erfassen und blitzartig weiterleiten. Unsere Fingerspitzen sind hierbei die sensibelsten Stellen der Hand: Mithilfe unseres sprichwörtlichen „Fingerspitzengefühls" können wir noch Unebenheiten erfassen, die kleiner als ein Tausendstel Millimeter sind. Daneben sind vor allem die Lippen und die Zunge mit einer Vielzahl an Drucksinneszellen ausgestattet, was wir besonders bei einem innigen Kuss spüren.

Die molekularen Fühler der Thermozellen in der Haut sind für die ständige Erfassung der Außentemperatur verantwortlich und übermitteln ihre Daten kontinuierlich an das Gehirn, wo der Hypothalamus dafür sorgt, dass die Körpertemperatur – trotz Veränderungen der Umgebungstemperatur – nahezu konstant bleibt. Als Warmblüter sind wir so in der Lage, die optimale Betriebstemperatur unseres Körpers im Sollbereich von 37 ± 1 Grad Celsius zu halten. Bei zu hohen oder zu niedrigen Außentemperaturen ist diese körpereigene Gegenregulation jedoch überfordert. Die Folge: Ist die Außentemperatur zu hoch, bekommen wir einen Hitzschlag, ist sie zu niedrig, dann können wir erfrieren.

Daneben findet sich in der Haut noch eine Vielzahl an freien Enden von Nervenbahnen, die eine Verletzung – beispielsweise verursacht durch eine Quetschung oder eine Verbrennung – augenblicklich erfassen können und eine Schmerznachricht in Richtung Oberstübchen senden. Wenn unsere Nerven blank liegen, dann beschreiben wir damit einen Zustand analog zu unseren Schmerzrezeptoren, die besonders sensibel sind.

BEARBEITUNGSPLÄTZE

Alles, was im Hirn geschieht,
beruht auf den Gesetzen der Chemie und Physik.
(Steven Weinberg, amerikanischer Physiker
und Nobelpreisträger)

Magische Froschschenkel

1780 machte der italienische Arzt Luigi Aloisius Galvani bei Untersuchungen an Muskeln und Nerven von Tieren eine für ihn zunächst unerklärliche Beobachtung, die sich in seinen Aufzeichnungen wie folgt liest: „Ich sezierte einen Frosch und präparierte ihn [...] und legte ihn auf einen Tisch, auf dem eine Elektrisiermaschine stand. Wie nun der eine von den Leuten, die mir zur Hand gingen, mit der Spitze des Skalpellmessers die inneren Schenkelnerven des Frosches zufällig ganz leicht berührte, schienen sich alle Muskeln derart zusammenzuziehen, als wären sie von Krämpfen befallen. Der andere aber, welcher uns bei Elektrizitätsversuchen behilflich war, glaubte bemerkt zu haben, dass sich das ereignet hätte, während dem Konduktor der Maschine ein Funken entlockt wurde."

Um diese erstaunlichen Beobachtungen weiter untersuchen zu können, verlegte Galvani sein Labor kurzerhand auf das Dach des Hauses seines besten Freundes. Hier konnte er bei einem Gewitter problemlos im Freien experimentieren. Wenn nämlich ein Gewitter im Anzug war, legte Galvani frisch präparierte Froschschenkel auf einen kleinen Tisch und verband diese über ein Kabel mit dem eisernen Balkon auf dem Dach. Hatte er Glück und ein Blitz schlug in den Balkon ein, dann begannen die Froschschenkel auf magische Weise zu zucken. Interessanterweise waren die Bewegungen besonders stark, wenn Galvani die Kabel direkt mit den freigelegten Nerven der Froschschenkel verbunden hatte. Woher diese „Aufladung" der Tierpräparate kam, konnte Galvani nicht erklären. Aus seiner Ratlosigkeit heraus bezeichnete er dieses Phänomen einfach als „tierische Elektrizität".

1791 veröffentlichte Galvani seine Ergebnisse, die auf großes Interesse bei anderen Forschern stießen. Einer von ihnen, der italienische Physiker Alessandro Volta, führte die Experimente Galvanis mit einigen kleinen, aber entscheidenden Änderungen erneut durch. Sein grundlegender Versuch bestand darin, den Nerv eines Froschschenkels frei zu präparieren und an zwei eng benachbarten Stellen mit einer Zinnfolie zu belegen. Verband er diese Metallplättchen mit einer äußerst schwachen elektrischen Energiequelle, so begannen die Muskeln ebenfalls zu zucken. Da hierbei keinerlei Verbindung zwischen Nerv und Muskel bestand, musste Galvanis Theorie von der „tierischen Elektrizität" falsch sein. Vielmehr wurden die Froschschenkel durch die von außen angelegte elektrische Spannung schlicht und ergreifend dazu angeregt, ihre gewohnte Tätigkeit aufzunehmen. Nur kam in diesem Experiment der Befehl hierzu nicht vom Gehirn, sondern von einer externen Stromquelle. Der Grundstein für die Elektrophysiologie, die Lehre von der Nachrichtenübertragung im Körper in Form von elektrischen Reizen, war gelegt. In zahlreichen weiteren Untersuchungen konnte später eindeutig belegt werden, dass der Körper Informationen über den Versand von elektrischen Impulsen austauscht. Diese werden mit atemberaubender Geschwindigkeit über die Zellfortsätze von einer Zelle zur anderen „geschossen". So gelangt die Nachricht einer Zelle in Sekundenbruchteilen zu ihrem Bestimmungsort.

Blitzgewitter im Kopf

Auch bei allen Nachrichten, die im Gehirn eintreffen, handelt es sich demnach zunächst um einen elektrischen Reiz. Diese elektrischen Ströme, die in unserem Gehirn fließen, lassen sich tatsächlich messen. Legt man Elektroden an der Kopfhaut an, so können die Gehirnströme auf einen so genannten Elektroenzephalographen (EEG) übertragen und dadurch sichtbar gemacht werden. Bei geistigen Höchstleistungen produziert das menschliche Gehirn eine Energie von etwa 25 Watt. Eine Stromstärke, die ausreichen würde, eine Glühbirne zum Leuchten zu bringen (wenn Ihnen also wieder einmal „ein Licht aufgeht", dann arbeitet Ihr Gehirn auf maximaler Stärke).

Trifft ein Reiz – also eine Nachricht von einer Außenstation – im Gehirn ein,
so weiß unser Oberstübchen zunächst nicht, woher dieser Impuls kommt. Oder anders ausgedrückt: Eine eintreffende Information von den Augen sieht für unser
Gehirn zunächst genauso aus wie ein Geräusch, das von den Ohren gemeldet wird.
Bei beiden Wahrnehmungen handelt es sich um elektrische Ströme, die in unserem Gehirn „anklopfen" und darum bitten, analysiert und bearbeitet zu werden.

Woher das eintreffende elektrische Signal kommt, erkennt unser Gehirn daran,
welche Region im Gehirn gereizt wird. Die Nervenbahnen von einem bestimmten
Organ verlaufen nämlich jeweils zu einem definierten Bearbeitungsplatz unter unserer Schädeldecke. Diese Reizerkennungsgebiete im Gehirn bestehen jeweils aus
mehreren Millionen Nervenzellen, die auf die Erkennung und Bearbeitung einer
bestimmten Wahrnehmung trainiert sind. Wenn beispielsweise unser Auge etwas
erblickt, verschicken die Sehzellen der Netzhaut alle aufgenommenen Informationen als „elektronische Post" über den Sehnerv an die Nervenzellen des so genannten Sehzentrums (auch visuelles Zentrum genannt), das sich am Hinterhirnlappen der Großhirnrinde befindet. Wenn die Nervenzellen im Sehzentrum durch
den ankommenden elektrischen Impuls gereizt werden, beginnen sie augenblicklich zu „feuern". Dem Gehirn ist somit klar, dass eine Information von den Augen
eingetroffen ist.

Nur durch die zielgerechte Entladung der Reizimpulse in bestimmten Zentren
unseres Gehirns entsteht schließlich aus dem andauernden Blitzgewitter an elektrischen Strömen in unserem Kopf ein Bild, ein Ton oder ein Geruch. Doch nicht immer entlädt sich ein solcher Nervenreiz nur in einer Region des Gehirns. So gibt es
Menschen, die einen Ton tatsächlich auch schmecken können. Im medizinischen
Fachjargon wird dies als Synästhesie bezeichnet (griechisch: syn = zusammen,
aisthesis = Empfindung). Bei Synästhetikern vermischen sich die Signale zweier
oder mehrerer Sinneswahrnehmungen miteinander. Ein Reiz springt dann sozusagen von dem Zentrum einer Sinneswahrnehmung zu einem anderen Sinnes-

zentrum über: Ein Ton kann dann neben der akustischen Wahrnehmung ein Geschmacksempfinden auslösen oder eine Farbe einen bestimmten Geruch haben. Für diese Menschen „schmeckt" dann ein bestimmter Ton „wie eine Salzlake" oder der Duft einer Rose riecht „grau".

Ein anderes Ereignis, bei dem unser Gehirn nicht mehr unterscheiden kann, welcher Sinnesreiz sich da gerade meldet, ist die schmerzhafte Erfahrung, die wir machen, wenn wir uns mit dem Ellenbogen an einer scharfen Kante stoßen. Am Ellenbogen laufen viele unterschiedliche Nervenbahnen zusammen, die für die Weiterleitung verschiedener Reize wie Schmerz, Kälte oder Druck zum Gehirn verantwortlich sind. Dieses Kribbeln, das sich anfühlt, als hätte man einen kleinen Stromschlag erhalten, ist darauf zurückzuführen, dass durch den Schlag auf den „Musikantenknochen" nun alle Nervenstränge im Ellenbogen gleichzeitig zu feuern beginnen. Das Gehirn erhält so ein Wirrwarr von verschiedenen Nachrichten und reagiert darauf mit einer regelrecht elektrisierenden Chaosmeldung.

Leuchtender Zucker

Dank der modernen Technik weiß man heute, wo sich die für die Verarbeitung eines bestimmten Sinneseindrucks und für besondere Fähigkeiten verantwortlichen Regionen in unserem Gehirn befinden. So lassen sich die unterschiedlichen Reizbearbeitungsplätze im Gehirn nachweisen, indem man einen radioaktiven Stoff an Zuckermoleküle koppelt und diesen markierten Zucker in die Blutbahn spritzt. Da sich unser Gehirn im Gegensatz zu allen anderen Körperorganen ausschließlich von Zucker ernährt, lässt sich so ermitteln, in welchen Hirnarealen bei bestimmten Tätigkeiten besonders viel Zucker verbraucht wird. Je nachdem, ob eine Versuchsperson Musik hört, sich Bilder anschaut oder an Düften schnuppert, leuchtet ein anderes Gehirnareal auf dem Monitor eines Gerätes auf, welches den „radioaktiven" Zucker im Organismus aufspüren kann. Wenn wir uns beispielsweise Bilder anschauen, müssen die Nervenzellen im Sehzentrum, um ihre Aufgabe vernünftig erfüllen zu können, mit besonders viel Energie und somit Zucker versorgt werden. Da nun auch mehr radioaktiver Zucker in das entsprechende Areal geschleust wird, erstrahlt diese Region heller auf dem Messmonitor als der Rest des Gehirns. Mithilfe dieses Verfahrens können auch die Hirnregionen sichtbar gemacht werden, die aktiviert werden, wenn wir Gefühle wie Wut, Freude oder Trauer empfinden. Ein solches Gerät, mit dem der „leuchtende Zucker" im Körper gemessen werden kann, nennt man Positronen-Emissions-Tomograph, kurz: PET. Durch PET-Untersuchungen konnten in unserem Gehirn einzelne Felder eingegrenzt werden, die für die Erkennung von Sinneswahrnehmungen, bestimmte Tätigkeiten und die Entstehung unserer mannigfaltigen Gefühle zuständig sind.

Diese so genannte Kartierung des menschlichen Gehirns zeigt zum Beispiel, dass das Hörfeld, mit dem wir akustische Signale wahrnehmen, im oberen Teil des Schläfenlappens sitzt. Das Zentrum für Geruchswahrnehmungen ist hingegen im vorderen Abschnitt des Schläfenlappens lokalisiert. Wenn ein Forscher sagt, er be-

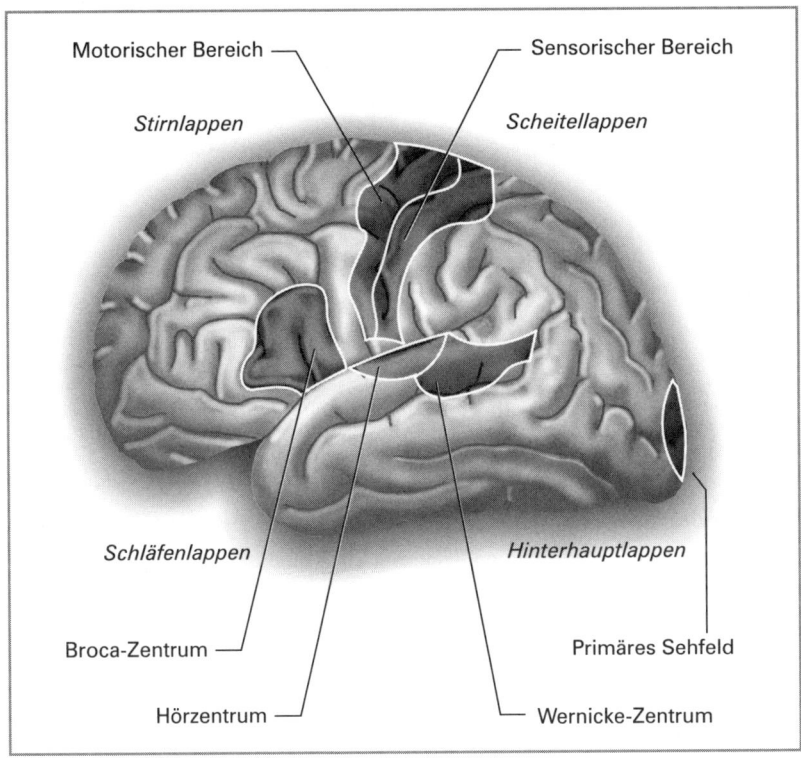

Abb. 4: Zentren im Großhirn

schäftigt sich mit „Areal 17", dann meint er die Region im Gehirn, in der optische Informationen bearbeitet werden. Diese befindet sich im Hinterlappen des Gehirns, wo die Informationen von den Augen eintreffen. Bisher hat man mehr als 200 solcher Bearbeitungsplätze in unserem Gehirn orten können.

Eine weitere Möglichkeit des Aufspürens von Reizbearbeitungsplätzen im Gehirn besteht darin, bestimmte Gehirngebiete durch eine eingeführte Elektrode von außen elektrisch zu reizen (diese Methode ist völlig schmerzfrei, da das Gehirn als einziges Organ kein Schmerzempfinden hat). Reizt man auf diese Art bestimmte Regionen des Zwischenhirns bei Tieren, so lassen sich – je nachdem welches Gehirnareal man gerade trifft – sogar Gefühle wie Wut, Angst und Aggressivität auslösen. In einem Aufsehen erregenden Experiment konnte der amerikanische Hirnforscher Jose Delgado mithilfe einer solchen in das Gehirn eines Stiers eingeführten Elektrode diesen wütend und angriffslustig machen und ihn dann – quasi per Knopfdruck – wieder in ein „zahmes Lamm" verwandeln. Wie schon die Froschschenkelexperimente von Galvani zeigten, kann unser Organismus nicht zwischen einer körpereigenen elektrischen Erregung und einer künstlich herbeigeführten Reizung unterscheiden. Bei beiden Arten handelt es sich um elektrische Impulse, welche die Nervenzellen im Körper und Gehirn auffordern, ihre Tätigkeit aufzunehmen.

Geteilte Welt

Wir haben gesehen, dass das Großhirn in zwei Hälften unterteilt ist, die über den Balken, der aus einer Vielzahl an Nervenbahnen besteht, untereinander Informationen austauschen können. Die Nervenbahnen überkreuzen sich auf ihrem Weg ins Gehirn, wodurch die rechte Gehirnhälfte die gegenüberliegende linke Körperhälfte steuert und kontrolliert und umgekehrt. Informationen vom linken Auge gelangen so in die rechte Gehirnhälfte zu dem „Ballungsgebiet" an Nervenzellen, die auf die Bearbeitung und Analyse von optischen Sinneseindrücken spezialisiert sind.

Ebenso finden wir unter anderem das Kleinhirn und viele Teile des Stammhirns gleich doppelt vor. Diese in zwei Hälften unterteilte Welt in unserem Kopf spiegelt sich auch an vielen Sinnesorganen und inneren Organen wieder: Wir haben zwei Ohren, zwei Augen, jeweils zwei Arme und Beine sowie zwei Nieren. Entsprechend befinden sich im Großhirn auch zwei so genannte motorische Felder, die unsere Körperbewegungen steuern, sowie zwei Seh- und zwei Hörfelder.

Neben der Steuerung unserer Körperbewegungen und der Informationsaufnahme von den Sinnesorganen teilen sich die beiden Großhirnhälften aber auch noch andere Aufgaben. So ist die rechte Hemisphäre mehr für unser gefühlsbetontes Verhalten verantwortlich, die linke Hälfte unseres Gehirns steuert hingegen überwiegend unser vernunftmäßiges Denken und Handeln. Der linke Teil unseres Gehirns ist somit die Seite, mit deren Hilfe wir mathematische Aufgaben lösen, unseren Kleiderschrank aufräumen und die uns hilft, mit einem Stadtplan umzugehen. Die rechte Seite unseres Gehirns hingegen ist die gefühlvolle Hälfte unter unserer Schädeldecke. Hier spielt sich unsere Phantasie ab und hier erleben wir den Genuss beim Hören eines Musikstückes. Die rechte Seite ist aber (leider) auch un-

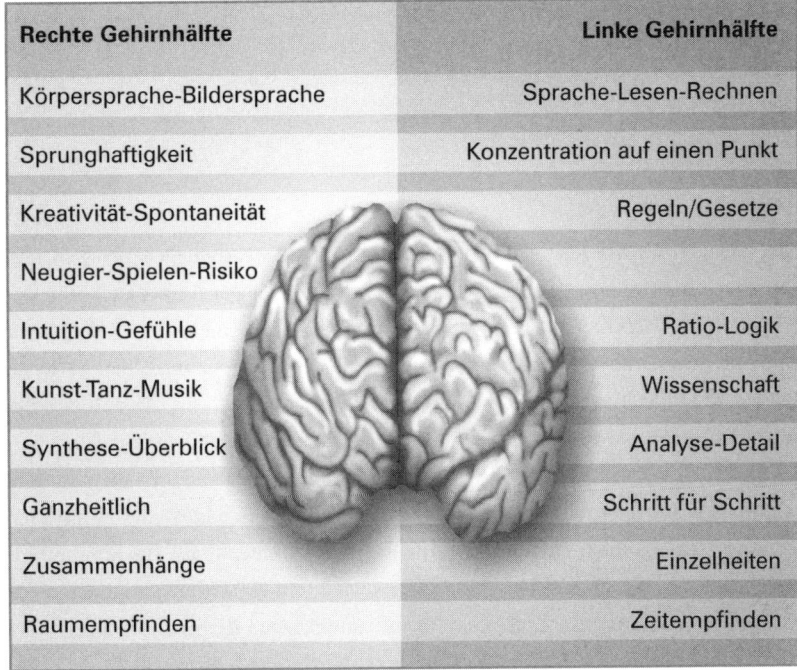

Rechte Gehirnhälfte	Linke Gehirnhälfte
Körpersprache-Bildersprache	Sprache-Lesen-Rechnen
Sprunghaftigkeit	Konzentration auf einen Punkt
Kreativität-Spontaneität	Regeln/Gesetze
Neugier-Spielen-Risiko	
Intuition-Gefühle	Ratio-Logik
Kunst-Tanz-Musik	Wissenschaft
Synthese-Überblick	Analyse-Detail
Ganzheitlich	Schritt für Schritt
Zusammenhänge	Einzelheiten
Raumempfinden	Zeitempfinden

Abb. 5: Zwei Welten

sere spontane Seite, die uns Dinge tun und sagen lässt, die wir im Nachhinein oftmals bereuen (wenn Sie also einmal wieder in einer bestimmten Situation etwas überreagiert haben, dann schieben Sie die Schuld hierfür getrost auf die rechte Hälfte Ihres Gehirns).

Ein weiteres Beispiel für die „Arbeitsteilung" der Gehirnhälften ist die Tatsache, dass bei mehr als 90 Prozent aller Menschen das aktive Sprachzentrum, auch Broca-Zentrum genannt, (der Teil des Gehirns, der uns das Sprechen ermöglicht) im linken Teil des Gehirns sitzt. Das passive Sprachzentrum (Wernicke-Zentrum), mit dem wir gesprochene Worte wahrnehmen, befindet sich dagegen in der rechten Hälfte unseres Gehirns.

100 Gramm Unterschied

Sie: „Schatz, an der letzten Kreuzung hätten wir rechts abbiegen müssen!" Er: „Nein, ich bin mir ganz sicher, dass es erst an der nächsten Ampel ist." Sie: „Ich habe aber das Gefühl, dass es da hinten war." Er: „Nein, beim letzten Mal sind wir auch nicht dort abgebogen, sondern an der nächsten Kreuzung." Sie: „Wie du meinst. Mach doch was du willst! Trotzdem habe ich Recht." Er: „Mist, hier ist es nicht. Ich glaube, wir hätten doch an der letzten Kreuzung abbiegen müssen."

Kommt Ihnen diese Situation bekannt vor? Im Folgenden werden Sie erfahren, warum sich solche Streitgespräche überall auf der Welt immer wieder abspielen.

1250 Gramm wiegt im Durchschnitt das Gehirn einer Frau, ein Männerhirn etwa 1350 Gramm. Das macht einen Unterschied von 100 Gramm zugunsten des Mannes. Doch macht dieses Gewicht einen Unterschied? Die Antwort lautet kurz und knapp: nein.

Entscheidend für die Funktionstüchtigkeit unserer Gefühls- und Denkfabrik ist die Anzahl der Gehirnzellen in bestimmten Gehirnarealen und die Geschwindigkeit des Datenaustausches zwischen den beiden Gehirnhälften. Und was dies betrifft, lassen sich tatsächlich Unterschiede zwischen den Geschlechtern feststellen.

Bei Männern ist die linke Gehirnhälfte stärker ausgebildet als die rechte und zudem größer als der linke Teil des Gehirns einer Frau. Bei Männern ist daher das räumliche Denken und der Orientierungssinn besser ausgeprägt und bei rein mathematischen Aufgaben haben sie ebenfalls einen leichten Vorteil gegenüber Frauen (sicherlich waren diese männlichen „Begabungen" bei der Jagd fernab der heimischen Höhle in grauer Vorzeit sinnvoll). Man weiß, dass Frauen sich stärker anhand bestimmter optischer Merkmale in der Umgebung orientieren, während Männer eher geometrische Anhaltspunkte zu Hilfe nehmen. Heute zeigt sich dieser kleine Unterschied bei der Autofahrt und dem ewigen Streit, ob die gesuchte Straße nun rechts oder links liegt. Und hier haben, trotz der größeren linken Gehirnhälfte des Mannes, dennoch oft die Frauen Recht. So pauschal ist diese geschlechtsspezifische Rechts-links-Zuordnung demnach doch nicht.

Was die Geschwindigkeit des Datenaustausches zwischen den Gehirnhälften betrifft, hat das weibliche Geschlecht die Nase leicht vorn: Der Gehirnbalken, der die beiden Gehirnhälften verbindet, ist bei Frauen um mehr als 20 Prozent dicker als beim Mann. Dies ermöglicht Frauen ein schnelleres Hin- und Herschalten zwischen den beiden Gehirnhälften. Aufgrund des rascheren Informationsaustausches über diese „Standleitung" kann das weibliche Geschlecht somit beide Gehirnhälften besser gleichzeitig nutzen. Da die rechte Gehirnhälfte überwiegend unser gefühlsbetontes Verhalten steuert, die linke Hälfte hingegen für unser vernunftmäßiges Denken und Handeln verantwortlich ist, können Frauen besser „fühlen", während sie denken. Hiermit wären wir wieder beim ewigen Geschlechterkampf

---

Genie oder Wahnsinn

Die Größe des Gehirns sagt nichts über die Intelligenz aus. So kann ein geistig behinderter Mensch durchaus ein größeres Gehirn haben als ein Genie. Die Intelligenz scheint vielmehr von der Art und Anzahl der Nervenzellen sowie deren Verknüpfungen miteinander abzuhängen.

---

zwischen der männlichen Logik und der weiblichen Intuition: Der Mann ist sich ganz sicher, dass die gesuchte Straße rechts ist, die Frau hat so ein unerklärbares Gefühl, dass das nicht stimmt. Durch den schnellen Austausch zwischen den beiden Gehirnhälften fällt Frauen zudem das Erlernen von Fremdsprachen und das Formulieren schwieriger Zusammenhänge leichter als Männern.

Es gibt noch eine Sache, die oft einen Streit zwischen Paaren entfacht und von der vor allem die Männer gerne behaupten, dass es hier einen großen Unterschied zwischen den Geschlechtern gibt: das Einkaufen. Doch hinsichtlich des Kaufverhaltens lassen sich „gehirntechnisch" keine Unterschiede zwischen Männern und Frauen nachweisen. Zwar wird das Kaufverhalten – und zwar bei beiden Geschlechtern – durch unser Oberstübchen mitbestimmt, dennoch gibt es hier (die Männer mögen es mir verzeihen) nichts, was Männer von Frauen unterscheidet. Wenn das Geschäft schmuddelig und das Personal unfreundlich ist, dann benutzen wir verstärkt unsere rechte (emotionale) Gehirnhälfte. Ist jedoch das Ladenlokal ansprechend eingerichtet und das Personal zuvorkommend, dann wird unsere linke Gehirnhälfte besonders angesprochen, die für den Verstand, die Logik, aber auch den schnellen Durchblick zuständig ist. Die „spontane" Gehirnhälfte lässt uns dann allerdings auch oftmals Kleidung kaufen, die wir nicht tragen oder uns nicht leisten können. Was das Kaufverhalten betrifft, ist der gern zitierte Unterschied zwischen Frauen und Männern wohl lediglich darauf zurückzuführen, dass Frauen einfach häufiger einkaufen gehen als Männer.

Auf der Suche nach dem Ort der Gefühle

Wer einmal von einer Schlange gebissen wurde,
hat Angst vor jedem Stückchen Schnur.
(Sprichwort aus Kamerun)

Täglich erlebt, schwer zu beschreiben

„Gefühl" – sicherlich benutzen wir dieses Wort mehrmals am Tag, und eigentlich wissen wir, was ein Gefühl ist. Eigentlich. Denn werden wir konkret nach der Bedeutung dieses Wortes gefragt, haben wir gleich mehrere Antworten parat. Aber so richtig auf den Punkt können wir diesen Begriff nicht bringen. Kein Wunder, wie sollte eine kurze Erklärung das beschreiben, was unser ganzes Leben prägt? Was ist Liebe? Was ist Angst? Was ist Trauer? Tonnen von Büchern beschäftigen sich mit diesen und anderen Gefühlsfragen und alle versuchen hierauf eine Antwort zu finden. Doch es bleibt nur eine Erkenntnis übrig: Logisch beschreiben kann man Gefühle nicht. Wie auch? Jeder von uns empfindet ein Gefühl anders. Der eine kann schon bei einem Liebesfilm seine Tränen nicht zurückhalten, ein anderer bleibt selbst von harten Schicksalsschlägen scheinbar unberührt. Beide sind traurig, nur jeder auf seine Art.

Zieht man ein Lexikon zurate, so kann man dort folgende Definition für „Gefühle" nachlesen: „Gefühle sind Grundphänomene des individuellen, subjektiven Erlebens einer Erregung (Spannung) oder Beruhigung (Entspannung). Gefühle sind Erlebnisse wie Freude, Liebe, Trauer, Ärger, Zorn, Aggression, Besorgnis, Antipathie, sie sind jeweils mehr oder minder deutlich von Lust oder Unlust begleitet. Das Gefühl hängt eng mit der Tätigkeit des vegetativen Nervensystems zusammen, die physiologischen Begleiterscheinungen sind hierbei zum Beispiel Änderungen der Puls- und Atemfrequenz oder des Volumens einzelner Organbereiche."

Diese trockene, sachliche Beschreibung des Begriffs Gefühl, dessen lateinisches Pendant „Emotion" lautet, klingt hier so ganz und gar nicht nach dem, was uns in Verbindung mit diesem Begriff in den Sinn kommt. Wenn wir von Gefühlen sprechen, dann sind wir „sauer", „genervt", „verknallt", „happy" oder wir haben einfach nur „so ein komisches" Gefühl. Aber Gefühl definiert als Grundphänomen, das entspricht nun wirklich nicht unserem Sprachgebrauch, wenn wir über Gefühle reden.

Ohne Gefühle wäre unser Leben ziemlich langweilig und öde. Auf die unangenehmen Gefühle wie Angst, Wut und Trauer könnten wir noch am ehesten verzichten, aber wie sollten wir dann die schönen Gefühle wie Liebe, Glück und Zufriedenheit zu schätzen wissen? Ohne Trauer könnten wir die Freude nicht richtig genießen und ohne etwas Aufregung und Ärger würde es selbst im vermeintlichen Paradies irgendwann ermüdend. Letztendlich macht das Auf und Ab unserer Gefühlslage das Leben erst lebenswert. Ohne unsere mannigfaltigen Gefühle würden wir einfach trostlos vor uns hinvegetieren – so wie Phineas Gage.

Der Fall Gage

Vor mehr als 150 Jahren, am 13. September 1848, ereignete sich in Amerika ein spektakulärer Unfall. Bei einer Sprengung für eine neue Eisenbahntrasse kam es zu einer unabsichtlichen Explosion, durch deren Wucht eine Eisenstange den Kopf des Arbeiters Phineas Gage traf. Die schwere Eisenstange drang unter dem linken Auge in seinen Kopf und trat auf der Rückseite wieder aus dem Schädel heraus. Was Ihnen jetzt einen kalten Schauer über den Rücken laufen lässt, beeindruckte den verletzten Arbeiter relativ wenig. Bereits einige Minuten nach seinem Unfall war er wieder aufnahmefähig und begann auch schon wieder Scherze zu machen – fast so, als sei überhaupt nichts passiert. Kurz nach der Verletzung bildete sich ein Eiterherd im Gehirn und Gage bekam hohes Fieber. Doch nur wenige Wochen später waren die Wunden verheilt und der Arbeiter wurde aus dem Krankenhaus entlassen. Auch später konnten, bis auf den Verlust des Auges, keine offensichtlichen Schäden bei Phineas Gage festgestellt werden.

Mit der Zeit bemerkten sein Freunde allerdings, dass sich die Persönlichkeit von Phineas Gage nach dem Unfall verändert hatte. Aus dem einst zuverlässigen, freundlichen und fleißigen Arbeiter wurde ein gefühlskalter, fluchender Mensch, der keine Arbeit mehr lange durchhielt und schließlich als Trinker auf dem Jahrmarkt endete. Phineas Gage starb als einsamer, trauriger Mensch.

Der Schädel von Phineas Gage mit dem etwa vier Zentimeter großen Loch wurde aufbewahrt und kann auch heute noch im Museum der Harvard Universität in den USA begutachtet werden. Erst viele Jahre nach diesem tragischen Unfall sollte man herausfinden, warum Phineas Gage nach seinem Unfall emotional so abstumpfte: Die Eisenstange hatte diejenige Region im Gehirn des Arbeiters zerstört, die maßgeblich an der Entstehung von Emotionen beteiligt ist.

Schneller Platzanweiser

Wir haben gesehen, dass alle Reize von den Sinnesorganen letztendlich als elektrischer Impuls im Gehirn eintreffen. Das Ziel jedes Reizes ist sein Bearbeitungsplatz in der Großhirnrinde, wo sich diejenigen Nervenzellen befinden, die auf die Erkennung dieser bestimmten Sinneswahrnehmung spezialisiert sind. Hier nehmen wir unsere Umwelt wahr. Doch wie entstehen die Gefühle, die wir in bestimmten Lebenssituationen als Reaktion auf diese Wahrnehmungen empfinden?

Mit Ausnahme von Geruchswahrnehmungen gelangen Sinnesreize nicht auf dem direkten Wege in die denkende Großhirnrinde, sondern müssen zuvor noch den Thalamus als Kontrollstation passieren. Der Thalamus entscheidet, wohin der Reiz im Gehirn weitergeleitet wird. Ist eine akute, lebensbedrohliche Gefahr in Verzug, dann sendet er den Reiz zunächst nicht zur „denkenden" Großhirnrinde weiter, sondern direkt an eine Region im Gehirn, die unter anderem auch für Sofortmaßnahmen verantwortlich ist: die Amygdala. Die Amygdala, die aufgrund ihres Aussehens auch Mandelkern genannt wird, ist wie viele Gehirnregionen zweifach angelegt: Wir finden sie sowohl in der rechten als auch in der linken Gehirnhälfte.

Erblicken wir beispielsweise beim Überqueren der Straße ein plötzlich herannahendes Auto, dann passiert Folgendes: Die Information von den Augen „herannahendes Auto" wird zunächst zum Thalamus geleitet. Dieser „erkennt" die drohende Gefahr und sendet blitzschnell eine Warnmeldung an den Mandelkern, der den Beinen nun den Befehl erteilt, sich rasch in Bewegung zu setzen. Die höheren Gehirnregionen wie das Sehzentrum in der Großhirnrinde werden dann erst gar nicht nach ihrer Meinung gefragt. Wir „sehen" die Gefahr schon mit dem Thalamus (der Thalamus ist also die Gehirnregion, die als Erstes über den Stand der Dinge in unserer Außenwelt informiert wird). Dieser Vorgang erklärt unsere schnelle Reaktion in Gefahr- und Notsituationen und warum wir in solchen Momenten oftmals handeln, ohne zu überlegen.

Allerdings ist der Thalamus in seiner Fähigkeit, Reize zu erkennen, nicht sonderlich genau. So reicht ihm beispielsweise schon die Information „schnell herannahendes Objekt", um eine entsprechende Fluchtreaktion einzuleiten. Erst später wird in der Großhirnrinde analysiert, was da eigentlich so schnell herangeschossen kam. Daher denken wir in einer solchen Situation nicht: „Oh, was für ein schönes Auto, so eins hätte ich auch gerne und die Scheinwerfer sehen so hübsch aus." Nein – wir springen zur Seite. Wäre dies nicht der Fall, so hätte uns das Auto bereits überfahren, bevor wir die gefährliche Situation realisiert hätten. Aufgrund der schnellen Reizverarbeitung und der reflexartigen Körperreaktion schaffen wir jedoch noch den lebensrettenden Sprung weg von der Gefahrenquelle, allerdings mit einer minimalen Zeitverzögerung von etwa einer Zehntelsekunde. So lange braucht die Nachricht dann doch, bevor sie eine entsprechende Reaktion auslöst.

Ist das Auto dann davongebraust, bricht uns plötzlich der Schweiß aus, unser Herz hämmert wie verrückt und unser Atem geht schneller. Nun realisieren wir auch, was gerade passiert ist: „Mein Gott, da kam ein Auto, ich hätte tot sein können, was ein Glück, dass ich noch zur Seite springen konnte!" Jetzt ist die „Vorsicht-Auto-Meldung" auch im Sehzentrum der Großhirnrinde angekommen und kann genauer analysiert werden.

Genau die gleichen Prozesse laufen in unserem Gehirn ab, wenn wir nachts durch ein unheimliches Knarrgeräusch aus unseren Träumen gerissen werden. In diesem Fall haben die Ohren die „Knarr-Mitteilung" an den Thalamus gesendet, der eine mögliche Bedrohung in der nächtlichen Ruhestörung erkennt. Augenblicklich leitet er diese Information an den Mandelkern weiter, der uns aus dem Schlaf hochschrecken lässt. Auch in diesem Fall hat der Mandelkern bereits reagiert, bevor wir die Situation bewusst wahrgenommen haben. „Erkennt" der Mandelkern nämlich eine Gefahr, aktiviert er augenblicklich den sympathischen Teil des autonomen Nervensystems, der unsere inneren Organe und Muskeln nun zu Höchstleistungen „anstachelt". So wird unser Körper bestmöglich auf die Bewältigung einer möglichen Gefahrensituation vorbereitet. Wenn er es für erforderlich hält, dann „reißt" uns der Mandelkern hierzu sogar mitten in der Nacht aus dem Schlaf.

Der gefühlvolle Mandelkern

Der Mandelkern ist auch eine der wichtigsten Schaltstellen für unsere Gefühle. Zusammen mit anderen Gehirnregionen wie dem Thalamus, dem Hypothalamus und dem so genannten Hippocampus im Zwischenhirn bildet der Mandelkern einen Zusammenschluss von Gehirnarealen, den man als limbisches System bezeichnet. Insgesamt sind mehr als ein Dutzend Gehirnareale an das limbische System angeschlossen, die in enger Zusammenarbeit unsere Gefühle wie Wut, Angst, Glück, Liebe und Hass auslösen. Alle diese Gefühle entstehen im limbischen System. Die zum limbischen System gehörenden Gehirnareale werden daher auch als Gefühlszentrum bezeichnet. Die hierzu gehörenden Gehirnabschnitte sind untereinander über zahlreiche Nervenbahnen „verdrahtet" und können so ständig Informationen austauschen. Der Mandelkern ist in dieser Gefühlsfabrik der Salzstreuer, der alle Nachrichten, die im Gehirn eintreffen, mit einem Gefühl „würzt" – mehr oder weniger intensiv. Hat das Gehirn mehr Zeit, eine bestimmt Lebenssituation zu analysieren, dann werden die zum limbischen System gehörenden Gehirnabschnitte mehrmals durchlaufen. Hierdurch wird die emotionale Bewertung einer Wahrnehmung immer genauer. Wie in einer Spirale werden die Emotionen so immer höher gedreht, bis sie dann manchmal sogar „überkochen". Und genau dieses Gefühlszentrum wurde bei dem Arbeiter Phineas Gage durch die Eisenstange, die sich in seinen Schädel bohrte, zerstört. Fortan empfand er keine Gefühle mehr und wurde zu einem völlig emotionslosen Wesen.

Auch die Nervenzellen der Großhirnrinde haben ein Wörtchen mitzureden, wenn es um unsere Gefühle geht. Eine Sinneswahrnehmung trifft nur kurz nach der ersten spontanen Bewertung durch das limbische System bei den Nervenzellen der Großhirnrinde ein. Die Neuronen nehmen den eintreffenden Reiz nun etwas genauer unter die Lupe. Hierzu tauschen die Nervenzellen ihre erhaltenen

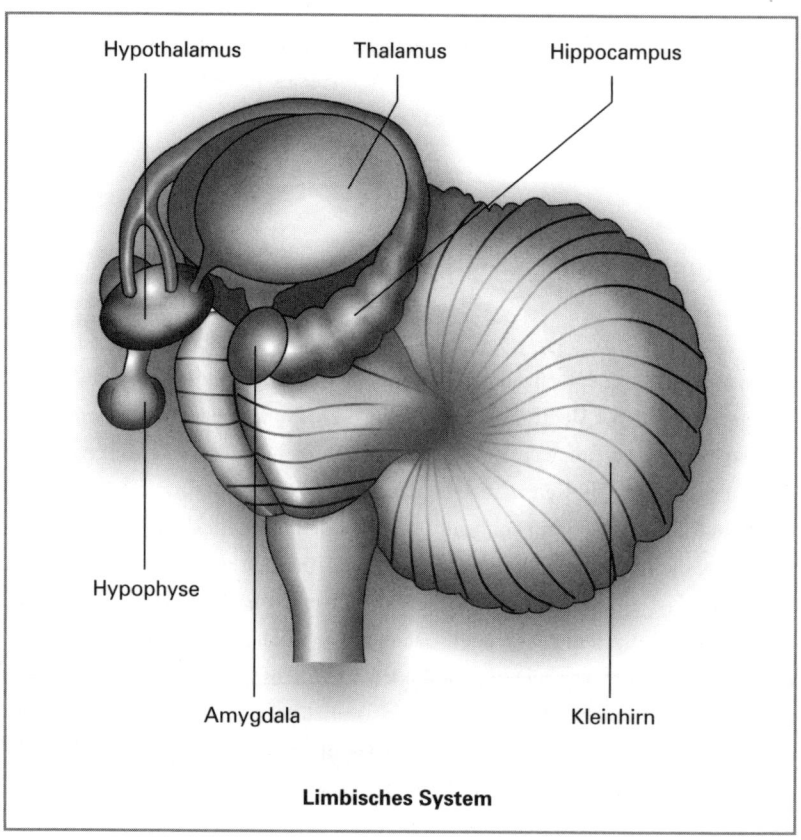

Abb. 6: Das Gefühlszentrum im Gehirn

Informationen untereinander aus. Die Nervenzellen, die einen bestimmten Gegenstand „erblickt" haben, fragen hierzu unter anderem bei den akustischen Wahrnehmungszellen nach, ob es möglicherweise eine klangliche Untermalung zu dem gesehenen Gegenstand gibt. Daneben wird in den Erinnerungszellen nachgeforscht, ob es zu den eintreffenden Informationen bereits gespeicherte Erfahrungen gibt. Man kann sich dies so vorstellen: Das Bild wird vom Sehzentrum im Gehirn zu den benachbarten Erinnerungszellen geschickt, die nun im „Archiv" nachschauen, ob zu diesem Bild eine bestimmte Erfahrung oder ein Erlebnis passt. Das komplette Informationspaket wird dann wieder zum limbischen System gesendet, das die überarbeitete Wahrnehmung nun erneut emotional bewertet. Wenn die grauen Zellen das unheimliche Geräusch, welches uns nachts hochschrecken ließ, wenig später als das Knarren der Kellertür identifiziert haben, dann wird der Mandelkern hierüber informiert und gibt Entwarnung. Augenblicklich beruhigen wir uns wieder und schlafen friedlich weiter. In der Großhirnrinde werden somit unsere Gefühle vernunftmäßig analysiert. Die grauen Zellen „überdenken" die spontanen Entscheidungen des Mandelkerns und sorgen somit für ein überlegtes Handeln.

Drei Wege zum Gefühl

Fast alle Sinneswahrnehmungen müssen den Thalamus passieren, bevor sie im Gehirn zur weiteren Bearbeitung und somit zur bewussten Wahrnehmung weitergeleitet werden. Die einzige Ausnahme sind Geruchsreize: Die Sinneswahrnehmungen über die Nase gelangen direkt in das limbische System, die Gefühlszentrale des Gehirns. Hierzu sind die Sinneszellen der Nase über eine direkte Standleitung an die Gefühlszentrale angeschlossen. Erst nach ihrer Reise zum limbischen System werden die Sinnesmeldungen der Nase zum Thalamus und von hier aus weiter zur Großhirnrinde geleitet. Dies ist der Grund dafür, warum uns ein Geruch selten derart erschreckt, dass wir reflexartig davor zurückweichen (ganz im Gegensatz zu einem lauten Knall, der uns erschreckt zusammenzucken lässt).

Der Weg eines Geruchsreizes im Gehirn erklärt auch, warum ein bestimmter Geruch ein Gefühl in uns auslösen kann, bevor wir diesen bewusst wahrnehmen. Nicht selten ist es ja so, dass wir einen Geruch erschnuppern und mit diesem ein Gefühl oder eine Erinnerung verbinden, bevor wir überhaupt erkennen, um welchen Geruch es sich dabei handelt. Der Grund liegt auf der Hand: Der Geruch landet auf direktem Wege im Gefühlszentrum, wo er eine bestimmte emotionale Reaktion auslöst. Erst danach findet er seinen Weg in den denkenden Teil unseres Gehirns. Das eigentliche Erkennen eines Geruchs findet – wie das von Details in einer Gefahrensituation – erst in der Großhirnrinde mit etwas Zeitverzögerung statt. Die Speicherkapazität unseres Geruchsgedächtnisses ist zudem der Merkfähigkeit anderer Sinneseindrücke weit überlegen. Während die Intensität einer visuellen Erinnerung bereits nach drei Monaten um 50 Prozent abgenommen hat, haben Erinnerung, die mit Gerüchen in Verbindung stehen, auch nach einem Jahr erst um 20 Prozent nachgelassen.

Zusammenfassend kann man daher sagen, dass es prinzipiell drei unterschiedliche Wege zum Gefühl gibt: Sinneswahrnehmungen der Nase gelangen direkt zum Mandelkern, wo sie bereits ein Gefühl auslösen können, bevor sie zur bewussten Wahrnehmung in die Großhirnrinde weitergeleitet werden. Alle anderen Sinnesreize passieren zunächst den Thalamus, der entscheidet, ob die Bearbeitung des Reizes nicht ganz so eilig ist oder ob eine schnelle Reaktion erforderlich ist. Im Falle einer drohenden Gefahr wird der Mandelkern umgehend über den Stand der Dinge informiert. Dieser sendet blitzschnell eine Warnmeldung an den Rest des Körpers, der sich daraufhin auf eine mögliche Bedrohung einstellt.

Ist das eintreffende Signal keine akute Warnmeldung (besteht also kein direkter Handlungsbedarf), dann sendet der Thalamus den Sinnesreiz zunächst zur Großhirnrinde, wo die Informationen erst einmal genauer „unter die Lupe" genommen werden. Das nun überdachte Informationspaket wird dann erst zum Mandelkern im limbischen System geleitet, der nun aufgrund der „Datenlage" eine emotionale Bewertung der Sinneswahrnehmung vornimmt. Nun stellt sich ein Gefühl in Zusammenhang mit der Wahrnehmung ein.

Gehirnwäsche

Durch bestimmte Praktiken ist es möglich, einem Menschen neue Ideen und Einstellungen „einzuimpfen" und alte gespeicherte Überzeugungen aus den Nervenzellen zu „löschen". Zu diesen Methoden der Gehirnwäsche gehören körperliche und seelische Folter sowie Schlafentzug.

Lebhafte Erinnerungen

Wir „erleben" unsere Welt mithilfe der Nervenzellen in der Großhirnrinde. Wenn ein Sinneseindruck wie der Anblick eines Gegenstandes von den Nervenzellen „aufgenommen" wurde, bleibt er für kurze Zeit oder auch länger als Erinnerung in den Nervenzellen des Gehirns gespeichert. Sieht man den Gegenstand ein zweites Mal, wird diese Erinnerung abgerufen und man erkennt den Gegenstand wieder. Der Mandelkern ist unter anderem mit der Großhirnrinde und dem Hippocampus verbunden. Der Hippocampus, der aufgrund seiner Form „Seepferdchen" genannt wird, ist der Sitz unseres Kurzzeitgedächtnisses. Hier werden diejenigen Erinnerungen abgelegt, die unserem Gehirn nicht so wichtig erscheinen und die wir nach einiger Zeit wieder vergessen. Wichtige und bedeutende Erfahrungen werden hingegen im Mandelkern und in der Großhirnrinde für lange Zeit – oft ein Leben lang – gespeichert. Hier ist zum Beispiel die schmerzhafte Erfahrung abgelegt, die wir als Kind beim Griff auf die heiße Herdplatte gemacht haben. Dieses unangenehme Erlebnis vergessen wir nie wieder und fortan meiden wir heiße Gegenstände.

Da alle wichtigen Erlebnisse und Erfahrungen in unserem Gehirn gespeichert werden, ist es nicht schwer zu verstehen, warum oft allein beim Gedanken an eine bestimmte Situation die damals erlebten Gefühle und deren körperliche Begleiterscheinungen erneut in uns aufflammen. Manchmal hören wir ein Lied im Radio, das mit einer schönen Erinnerung verbunden ist, wie der Ohrwurm aus der Zeit, als wir frisch verliebt waren. Diese Klänge gelangen über den Hörnerv in das Hörfeld der Großhirnrinde, wo sich die Nervenzellen befinden, die auf die Erkennung von akustischen Signalen spezialisiert sind. In diesem Areal unseres Gehirns wird ein Ton oder Laut erkannt und anschließend mit bereits gespeicherten und somit bekannten „Tonerfahrungen" verglichen. Hören wir ein Musikstück später wieder, so werden wir unweigerlich an den Moment erinnert, als wir dieses Lied zum ersten Mal gehört haben. Hierbei entscheidet die gespeicherte Erfahrung, welche Gefühle das Hören dieses Musikstücks in uns auslöst. Verbinden wir mit der akustischen „Blitzgewitterentladung" an unseren Erinnerungszellen ein schönes Erlebnis, so leben diese angenehmen Empfindungen erneut auf. Ist eine eher unangenehme Situation mit den Musikklängen verbunden, dann machen sich die damals erlebten schlechten Gefühle erneut in uns breit.

Ein anderes Beispiel für die Funktion der „Gedächtniszellen" ist die Speicherung bestimmter Geruchserinnerungen in den endlosen Windungen unseres Großhirns. Erhält das Gehirn eine Geruchsbotschaft, dann wird hier nach gespeicherten Erinnerungen zu diesem Aroma geforscht. Haben wir einmal übel riechende Nahrung gegessen und daraufhin erbrechen müssen, so ist diese Erfahrung in unseren Gehirnzellen abgespeichert. Erreicht nun ein ähnlicher Geruch unser Gehirn, so fragt das Geschmackszentrum beim Erinnerungszentrum nach, ob es irgendwelche Erfahrungen gibt, die mit diesem Odeur verbunden sind. Ist die Antwort: „Ja, beim letzten Mal folgte in Verbindung mit diesem Geruch Übelkeit", so wird eine Warnmeldung losgesandt, die einen Würgereiz und ein Ekelgefühl auslöst. Dieses unangenehme Erlebnis muss ja schließlich nicht noch einmal durchgemacht werden. Natürlich gibt es auch schöne Erinnerungen, die mit einem Geruch (oder einer anderen Sinneswahrnehmung) verbunden sein können. So kann das Aroma eines bestimmten Essens die Erinnerungen an ein schönes Mahl bei Kerzenschein und ruhiger Musik wieder aufleben lassen. Diese Bilder laufen dann erneut vor unserem geistigen Auge ab und das Essen schmeckt doppelt so lecker. Wie gut diese Erinnerungsspeicher funktionieren, zeigt sich auch daran, dass wir allein dann schon einen sauren Geschmack auf der Zunge spüren und vermehrt Speichel bilden, wenn wir jemanden beobachten, der eine Zitrone verspeist. Es ist fast so, als würden wir selbst hineinbeißen. Oft reicht auch allein der Gedanke an ein vergangenes Ereignis aus, um die hieran geknüpften Gefühle erneut zu aktivieren. So kann uns die Erinnerung an eine gefährliche Situation noch Jahre später den Schweiß auf die Stirn treiben. Auch wenn wir manchmal nicht genau wissen, woher eine bestimmte Abneigung oder Sympathie kommt, sind unsere Nervenzellen hierüber genau im Bilde.

Vergessene Erinnerungen lassen sich auch künstlich „wachkitzeln". So konnten bei Versuchspersonen durch elektrische Reizung bestimmter Gehirnregionen längst vergessene Erinnerungen wieder wachgerufen werden. Hierzu führte man eine feine Metallsonde, die mit einer Stromquelle verbunden war, in verschiedene Areale des Gehirns ein und stimulierte so diese Bereiche künstlich. Die Testpersonen „sahen" die Gardinenfarbe des Wohnzimmers der Großeltern, sie „fühlten" Gegenstände und sie „rochen" den Duft eines Weihnachtsessens. Zudem lebten die mit diesen Erinnerungen verbundenen Gefühle erneut auf. Hierbei konnten die Menschen nicht unterscheiden, ob ihre Empfindungen das Resultat eines künstlich herbeigeführten Zustands waren oder ob sie ganz natürlich entstanden waren.

DIE MOLEKULARE SPRACHE DER GEFÜHLE

Das Gefühl gehört dem inneren Leben an,
sein Ausdruck dem äußeren.
(Alexander Lowen, deutscher Arzt und Psychotherapeut)

Ei oder Henne?

Lange Zeit herrschte zwischen Wissenschaftlern Uneinigkeit darüber, ob ein Gefühl zunächst im Kopf entsteht und dann dessen körperliche Erscheinungen auftreten oder ob es sich genau umgekehrt verhält. Das Ganze ähnelte der berühmten Frage nach dem, was zuerst da war: „Ei oder Henne?". Im klassischen Altertum waren die Ärzte noch der Meinung, dass die Stimmungslage des Menschen durch die vier Körpersäfte Blut (sanguis), Schleim (phlegma), Galle (chole) und die schwarze Galle (melan-chole) bestimmt wird. Man glaubte damals, dass sich bestimmte Stimmungslagen dadurch äußern, dass einer dieser „Säfte" gerade die Oberhand im Körper hat. Hierbei unterschied man zwischen dem Sanguiniker (heiter, lebhaft, unternehmungslustig), dem Phlegmatiker (träge, schwerfällig, gleichgültig), dem Choleriker (jähzornig) und dem Melancholiker (nachdenklich, schwermütig). Später wies man dem Sitz der Gefühle immer wieder neue körperliche „Räumlichkeiten" zu. Mal war es das Gehirn, dann das Herz, dann wieder das Gehirn. Ein Ende der Diskussion schien lange Zeit nicht in Sicht.

Heute weiß man jedoch aufgrund zahlreicher wissenschaftlicher Untersuchungen, dass Gefühle zunächst im Kopf entstehen. Basierend auf den Meldungen der Sinnesorgane löst das limbische System in unserem Gehirn eine erste Emotion aus (natürlich können Emotionen auch ohne jegliche Sinnesreizung entstehen, beispielsweise wenn wir träumen oder einfach an eine bestimmte Situation oder ein Erlebnis denken). Unser Oberstübchen übermittelt die entsprechende Gefühlslage dann an den ganzen Körper, indem es chemische Botenstoffe in den Körper jagt. Diese molekularen Gefühlsboten bestimmen dann die körperlichen Empfindungen, die jedes unserer Gefühle begleiten. Ein Gefühl wird somit im Gehirn in die Sprache körpereigener chemischer Botenstoffe „übersetzt". Diese übernehmen nun die Regie unserer Körper- und Organfunktionen, damit wir jede Lebenssituation unbeschadet und bestmöglich bewältigen können.

Wenn uns beispielsweise ein „Schrecken in die Knochen fährt", dann sind die körpereigenen Moleküle daran schuld, dass wir das Gefühl der Angst am ganzen Körper spüren: Sie lassen unser Herz schneller schlagen, machen uns den Mund trocken und unsere Hände feucht. Natürlich sind es nicht nur die körperlichen Erscheinungen von unangenehmen Empfindungen, die wir diesen chemischen Boten zu verdanken haben. Auch wenn unser Körper vor Glück, Freude oder Liebe in Verzückung gerät, sind es kleine chemische Moleküle, die jetzt verstärkt in unserem Körper kreisen und für die angenehmen und erregenden körperlichen Gefühle in diesen Momenten sorgen.

Flinke Klippenspringer

Bereits nach zehn Millisekunden ist ein Bild, ein Geruch, ein Geschmack oder ein Ton in unserem Kopf eingetroffen. Wären diese Prozesse langsamer, würden wir der Realität fortwährend ein Stückchen hinterherlaufen. Unsere Wahrnehmung der Welt sähe dann immer so aus wie eine Liveschaltung aus Übersee, bei der häufig das Bild vor dem Ton ankommt. Um Informationen von Zelle zu Zelle weitergeben zu können, hat der Körper verlässliche Boten. Zum einen benutzen die Nervenzellen chemische Substanzen zur Nachrichtenübermittlung, die dafür sorgen, dass ein elektrischer Reiz von einer Nervenzelle zur nächsten weitergeleitet werden kann. Zum anderen übernehmen Hormone den Nachrichtentransport über die Blut- und Lymphbahnen unseres Körpers.

Alle diese körpereigenen Botenstoffe lösen bestimmte Körperreaktionen aus, die uns zwar biologisch gesehen nur auf eine bestimmte Lebenssituation optimal vorbereiten sollen, so ganz nebenbei aber auch dafür sorgen, dass wir ein Gefühl körperlich spüren.

Wird eine Sinneszelle aktiviert, dann wandert hierzu ein elektrischer Reiz über die Axone der Nervenzellen zum Gehirn, wo die elektrische Nachricht entschlüs-

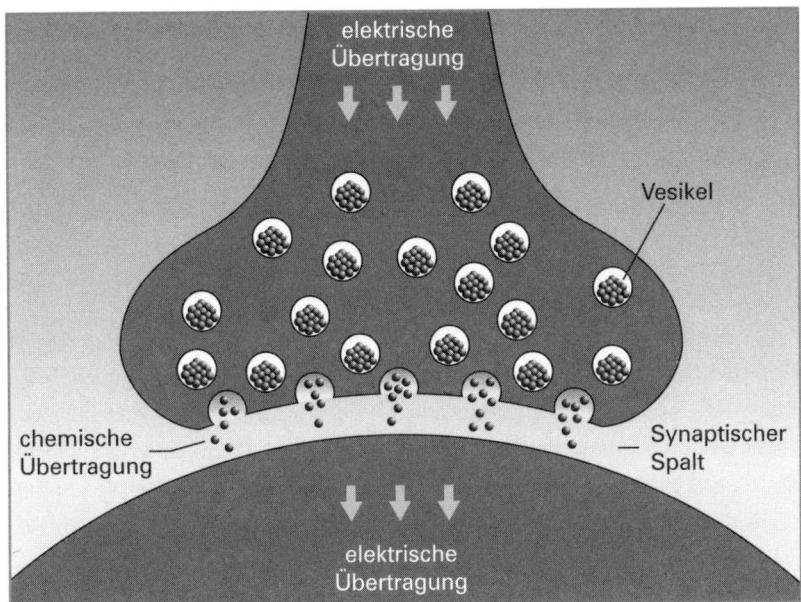

Abb. 7: Reizübertragung an einer Synapse

selt und die eintreffende Sinneswahrnehmung bewertet wird. Die Axone einer Nervenzelle stehen in sehr engem Kontakt mit anderen Nervenzellen, um so die Information einer Zelle an eine andere weiterzuleiten. Allerdings befindet sich zwischen dem Ende eines Axons und dem Anfang der nächsten Zelle ein winzig kleiner Spalt, der lediglich einen hunderttausendstel Millimeter breit ist. An diesen Unterbrechungen ist die Übertragung einer elektrischen Botschaft nur dann möglich, wenn diese „Kluft" durch die Aussendung einer chemischen Substanz überbrückt wird.

Hierzu springt ein chemischer Botenstoff von dem einen Ende der Unterbrechungsstelle zum anderen, allerdings nur, wenn er hierzu von einem elektrischen Impuls angeregt wird. Auf der anderen Seite (also beim Axon der nächsten Nervenzelle) angekommen, löst der Botenstoff dann erneut ein elektrisches Signal aus, welches schließlich entlang des Axons zur nächsten Zelle wandert (man kann sich diesen Vorgang vorstellen wie ein durchgetrenntes Stromkabel, das man mithilfe eines Metallstücks überbrückt).

An den kleinen Lücken zwischen den einzelnen Axonen gibt es nur zwei Möglichkeiten: Entweder wird ein eintreffender Reiz weitergeleitet oder eben nicht. Die Botenstoffe an den Spalten zwischen den Axonen wirken somit wie kleine elektrische Schalter. Springt der Botenstoff über die Lücke, dann löst er am anderen Ende angekommen erneut einen elektrischen Impuls aus. Schafft er den Sprung nicht, dann bleibt der elektrische Reiz an dieser Stelle hängen und eine Weiterleitung der Nachricht ist nicht mehr möglich – der Schalter steht auf „Aus".

Um das Prinzip der Nachrichtenübermittlung über die Axone zu verdeutlichen, wollen wir uns einmal kurz anschauen, was passiert, wenn wir unseren Daumen bewegen möchten (eine praktische Alltagssituation hierfür wäre die Betätigung der Fernbedienung, wozu wir in aller Regel den Daumen verwenden). Um den Daumen in Bewegung zu setzen, schickt das Gehirn den Befehl „Daumen beugen!" als elektrischen Strom über eine motorische Nervenbahn in Richtung Daumen. An den Unterbrechungsstellen zwischen den Axonen der Zellen übernehmen die chemischen Botenstoffe die Nachrichtenübertragung, indem sie über die Lücke springen und so erneut einen elektrischen Reiz auslösen. Der elektrische Reiz wandert so bis zum nächsten Spalt, wo sich dieses Spiel wiederholt. Das Ende eines Axons mündet schließlich in den Daumenmuskel. Hier wartet wiederum ein Botenstoff auf seinen Einsatz, der nun – angestoßen durch den eintreffenden Reiz – zum Zielorgan (also dem Daumenmuskel) überspringt und dort eine Reaktion (die Bewegung des Daumens) auslöst. Wie beim olympischen Fackellauf wird also die Nachricht durch die Botenstoffe von einem Abschnitt der Nervenbahn zum nächsten weitergereicht, bis der letzte Botenstoff am Zielorgan schließlich das „Feuer" entfacht, das unseren Finger bewegt.

Diese Unterbrechung der elektrischen Reizweiterleitung über die Axone mag auf den ersten Blick wenig Sinn machen, zumal da die Geschwindigkeit der Informationsübertragung durch den für eine Weiterleitung erforderlichen „Sprung" des Botenstoffes verringert wird (der „Klippensprung" der Botenstoffe dauert etwa zwei bis drei Millisekunden, wodurch die rasend schnelle elektrische Reizweiterleitung an diesen Stellen abgebremst wird).

Dennoch erfüllen diese Lücken zwischen den Axonen der Nervenzellen eine wichtige Aufgabe: Ist ein Reiz, wie beispielsweise die Nachricht von einem Sinnesorgan, nur sehr schwach, dann fehlt dem elektrischen Reiz die nötige Kraft, den chemischen Botenstoff über den Spalt zu stoßen. Hierdurch ist gewährleistet, dass ein schwaches Signal (ein unwichtiger Sinneseindruck) oder eine unwichtige Gehirnmeldung nicht weitergeleitet wird.

Ein starker Reiz, wie die Information über eine besonders schwere Verletzung, trifft hingegen rasch und intensiv an ihrem Bestimmungsort ein. In diesem Fall stellt die Überbrückung durch den Botenstoff keinerlei Probleme dar. Man stelle sich nur einmal vor, diese Aussortierung von unwichtigen Reizen würde nicht stattfinden. Ein Staubkorn könnte dann einen Schmerzreiz auslösen, der genauso intensiv wäre wie das Schmerzempfinden nach dem Tritt in eine Glasscherbe! Bei einer normalen Reizung feuert eine Nervenzelle übrigens etwa 10- bis 50-mal pro Sekunde, handelt es sich um einen sehr starken Reiz, kann eine Nervenzelle bis zu 500 Signale in einer Sekunde schießen. Dann kommt die Nachricht in Windeseile und als geballtes Informationspaket an.

Die Unterbrechungsstellen in den Nervenbahnen nennt man in der Fachsprache Synapsen (sunaptein (gr.) = „sich verbinden"). Die chemischen Botenstoffe in den Synapsen bezeichnet man auch als Neurotransmitter (Transmitter = Botenstoff; Neurotransmitter bedeutet also „Botenstoff zwischen den Nervenzellen").

Feuer frei!

Etwas Mathematik: Gehen wir einmal davon aus, dass eine Nervenzelle im „Normalzustand" jede Sekunde nur einmal feuert. Bei einer Milliarde Nervenzellen würden diese zusammen somit in einer Sekunde eine Milliarde Mal feuern, in einer Minute 60-mal so oft. Umgerechnet auf 24 Stunden macht das etwa 8,6 Quadrillionen (!) Entladungen der Nervenzellen pro Tag – ein wahres Blitzgewitter in unserem Kopf.

Die wichtigsten Neurotransmitter im Überblick

Acetylcholin	Acetylcholin ist ein Neurotransmitter im parasympathischen Teil des Nervensystems. Acetylcholin ist an den Vorgängen beim Lernen und Denken beteiligt und steuert die gewollte Bewegung von Muskeln.
Adrenalin und Noradrenalin	Adrenalin und Noradrenalin sind Neurotransmitter im sympathischen Teil des Nervensystems. Beide Botenstoffe steigern blitzschnell die Herz-Kreislauf-Funktionen und versetzen den Körper so in einen Zustand erhöhter Alarmbereitschaft.
Dopamin	Dopamin ist ein Neurotransmitter der Nervenzellen des Gehirns. Dopamin fördert die Lust und erhöht die Kreativität und Phantasie.
GABA	GABA (Kurzform für Gammaaminobuttersäure) ist ein Neurotransmitter der Nervenzellen des Gehirns, der die Weiterleitung eines Reizes im Gehirn hemmt und somit beruhigend wirkt.
Serotonin	Serotonin ist ein Neurotransmitter der Nervenzellen des Gehirns, der unsere Stimmungslage beeinflusst und in der richtigen Konzentration für unsere innere Ausgeglichenheit sorgt.
Substanz P	Substanz P ist ein Neurotransmitter in den Schmerznervenbahnen unseres Körpers und unter anderem an der Schmerzweiterleitung von der Haut ins Gehirn beteiligt.

Allein in unserem Gehirn befinden sich mehr als 70 Trillionen solcher Schalt-stellen. Mittlerweile kennt man mehr als 30 verschiedene Neurotransmitter. Die meisten von ihnen bestehen nur aus einem einzigen Molekül – einer Amino-säure – und sind dementsprechend relativ kleine Substanzen. Man bezeichnet sie daher auch als Monoamine (mono = allein, eine Monoaminosäure besteht also nur aus einer Aminosäure). In den Synapsen unterschiedlicher Nervenbahnen sitzen jeweils andere Neurotransmitter. So befindet sich in den Endsynapsen (an den Synapsen, die direkt an das entsprechende Zielorgan münden) des parasympathi-schen Teils unseres Nervensystems ein Botenstoff namens Acetylcholin. An den Endsynapsen der sympathischen Nervenbahnen wartet hingegen die chemische Substanz Noradrenalin auf ihren „Sprung" zum Zielorgan.

Hormoneller Briefversand

Neben den Neurotransmittern, die in den Synapsen der Nervenbahnen auf ihren Einsatz warten, finden wir in unserem Körper und Gehirn noch eine zweite Art von chemischen „Postboten": die Hormone. Im Gegensatz zu den Neurotransmit-tern, die in den Nervenbahnen die Weiterleitung einer Nachricht übernehmen, überbringen die Hormone ihre Nachricht persönlich zum Zielorgan. Der Transport der Hormone erfolgt über die Blutbahn. Mit dem Blut, das durch den Körper ge-pumpt wird, gelangen die Hormone an ihre verschiedenen Bestimmungsorte, um dort ihre Aufgaben zu erledigen. Dafür brauchen sie natürlich etwas länger als die durch Neurotransmitter gesteuerte „elektronische Post", wodurch ihre Wirkung et-was später einsetzt. Hormone sind chemische Substanzen, die von den endokrinen Drüsen des Körpers produziert werden. Das Wort „endokrin" bedeutet „nach innen abscheidend". Drüsen werden endokrin genannt, wenn sie Substanzen in die Blut-bahn – nach innen – ausschütten. So produziert und speichert die Nebenniere als endokrine Körperdrüse unter anderem das „Stresshormon" Adrenalin, die Hoden das Testosteron und die Bauchspeicheldrüse das Zucker abbauende Insulin. Die Schweißdrüsen zählen hingegen nicht zu den endokrinen Drüsen, da sie ihre Pro-dukte aus dem Körper heraus absondern.

Der Begriff „Hormon" leitet sich von dem griechischen Wort „hormoa" ab und bedeutet so viel wie „antreiben" oder „anregen" (auch der griechische Götterbote Hermes soll seinen Namen diesem Wortstamm verdanken). Die Hormone sind also die Antreiber und Auslöser wichtiger Organ- und Körperreaktionen. Sie sorgen dafür, dass unser Organismus auf jede Lebenssituation bestens vorbereitet ist.

Die Steuerzentrale für unseren Hormonhaushalt ist eine erbsengroße und nur 0,5 Gramm schwere Drüse, die sich im Zwischenhirn befindet: die Hypophyse, die auch Hirnanhangdrüse genannt wird. Die Hypophyse wird ständig über die Konzentration der einzelnen Hormone im Blut informiert und reagiert selbst auf kleinste Hormonschwankungen.

Einige Aufgaben delegiert die Hypophyse an andere endokrine Drüsen wie die Nebennieren, die Schilddrüse oder die Bauchspeicheldrüse. Steigt beispielsweise der Blutzuckerspiegel an, so erhält die Bauchspeicheldrüse von der Hypophyse den Befehl zur Insulinproduktion. Das freigesetzte Insulin baut den überschüssigen Zucker im Blut ab und bringt den Zuckerspiegel somit wieder auf den Normalwert. Um einige Angelegenheiten kümmert sich die Hypophyse allerdings höchstpersönlich. So sendet sie unter anderem eine Hormonbotschaft aus, die das Wachstum der Knochen und Muskeln anregt. Die Hypophyse ist zwar der Aufseher der anderen Drüsen, hat aber selbst einen Kontrolleur – den Hypothalamus. Ohne den Hypothalamus läuft gar nichts in Sachen Hormone, denn dieser ist stets über die Konzentration aller Hormone bestens informiert und dirigiert so das hormonelle Orchester.

Chemisch betrachtet bestehen Hormone aus mehreren Aminosäuren, die miteinander zu langen Ketten verbunden sind, weshalb sie im Fachjargon auch als Neuropeptide oder Peptidhormone bezeichnet werden (ein Peptid besteht aus mehr als 200 Aminosäurebausteinen). Die Peptidhormone werden in bestimmten Zellen produziert und dort bis „auf Abruf" gespeichert. Erreicht ein elektrisches Signal diese Zellen, so werden die Hormone in die Blutbahn ausgeschüttet und gelangen so zu ihrem Ziel im Körper.

Im Gegensatz zu den Peptidhormonen werden die so genannten Steroidhormone wie die männlichen und weiblichen Sexualhormone, bei denen es sich um chemische Abkömmlinge der chemischen Verbindung Cholesterin handelt, nicht gespeichert, sondern erst auf ein Signal hin produziert und danach sofort ins Blut abgegeben.

Die wichtigsten „Gefühlshormonfabriken" unseres Körpers

Drüse	Produziertes „Gefühlshormon"
Eierstöcke (weibliche Geschlechtsdrüsen)	Progesteron und Östrogene
Hoden (männliche Geschlechtsdrüsen)	Androgene wie Testosteron
Hypophyse (Hirnanhangdrüse)	Oxytocin, Vasopressin, Prolaktin
Hypothalamus	Serotonin
Nebennieren	Nebennierenmark: Adrenalin und Noradrenalin
Nebennierenrinde	Cortisol, Androgene und Östrogene
Zirbeldrüse (Epiphyse)	Melatonin

Steroidhormone reagieren daher langsamer als die Peptidhormone, allerdings hält ihre Wirkung länger an (allgemein kann man sagen, dass die Wirkung eines chemischen Botenstoffes umso länger anhält, je langsamer er seinen Bestimmungsort erreicht).

Zwittermoleküle

Unserem Organismus stehen also zwei Nachrichtensysteme zur Verfügung: das Nervensystem und das Hormonsystem. Das Nervensystem lässt sich mit einer Datenautobahn vergleichen, über die Nachrichten in Sekundenbruchteilen in Form von elektrischen Strömen versendet werden und am Zielorgan entsprechende Funktionsänderungen auslösen. An den Unterbrechungsstellen der Nervenbahnen übernehmen die Neurotransmitter kurzfristig den Weitertransport der Nachricht. Über dieses Hochgeschwindigkeits-Kommunikationsnetzwerk erreicht eine Nachricht praktisch augenblicklich den Empfänger. Hormone hingegen überbringen ihre Nachrichten persönlich zum entsprechenden Zielorgan, wo sie eine Reaktion auslösen.

Der „Versand" der Hormone erfolgt über die Blutbahn. Da Hormone über die Blutbahn langsamer zu ihrem Zielort gelangen, würden sie in einer akuten Gefahrensituation sozusagen zu spät kommen. In solchen Momenten werden wir daher allein von unserem Nervensystem und seinen Neurotransmittern regiert. Denn nur über diese Nachrichtenleitungen kann eine Botschaft in Windeseile zu den entsprechenden Organen und Muskeln verschickt und so eine schnelle Reaktion ausgelöst werden.

Bei den molekularen Botenstoffen in unserem Körper kann man somit zwischen Neurotransmittern und Hormonen unterscheiden. Allerdings haben manche dieser Moleküle gleich eine doppelte Funktion. Einige von ihnen fungieren als Neurotransmitter in den Synapsen der Nervenbahnen, aber auch als Hormon in den endokrinen Drüsen.

Das Adrenalin beispielsweise ist eine solche „Zwittersubstanz": Zum einen wird diese chemische Verbindung in einer Stresssituation aus den Nebennieren in die Blutbahn ausgeschüttet, zum anderen erfüllt das Adrenalin auch eine wichtige Funktion als Neurotransmitter im Sympathikus, jenem Teil unseres willkürlichen Nervensystems, der dann aktiviert wird, wenn unsere Organe automatisch auf Maximalleistung umgeschaltet werden. So wird die Nachricht „Gefahr im Anmarsch" dem Organismus über die Nervenbahnen als elektronische Post und über die Drüsenausschüttung von Hormonen übermittelt. Der hierfür verantwortliche Botenstoff ist ein und derselbe.

Molekulare Bastelstube

Bei den chemischen Botenstoffen unseres Körpers handelt es sich somit entweder um Amine, Peptid- oder Steroidhormone. Diese verschiedenen Substanzgruppen

Die wichtigsten Hormone im Überblick

Adrenalin und Noradrenalin	Die „Stresshormone" Adrenalin und Noradrenalin versetzen den Körper in eine erhöhte Alarmbereitschaft und bereiten ihn so auf eine Flucht- oder Angriffsreaktion vor. Beide Substanzen wirken auch als Neurotransmitter.
Endorphine	Endorphine unterbinden als körpereigene „Schmerzkiller" die Weiterleitung eines Schmerzreizes zum Gehirn. Zudem sorgen sie für ein starkes Glücksgefühl und können regelrecht „high" machen.
Insulin	Insulin regelt den Blutzuckerspiegel.
Cortison	Cortison wirkt im ganzen Körper entzündungshemmend und hilft als „Anti-Stresshormon", eine Belastung für den Körper erträglicher zu machen.
Melatonin	Melatonin ist ein schlafförderndes Hormon, das die so genannte „innere Uhr" des Menschen reguliert. Das „Sandmännchenhormon" ist auch am Alterungsprozess des Körpers beteiligt.
Östrogene	Östrogene wirken stärkend auf Knochen und Herz und stabilisieren das seelische Gleichgewicht. Außerdem sorgen sie für das weibliche Erscheinungsbild.
Oxytocin	Das „Kuschel- und Treuehormon" Oxytocin unterstützt bei der Geburt die Wehen und regt die Milchproduktion der Mutter nach der Geburt an. Es sorgt zudem für die Lust auf Zärtlichkeit, Nähe und Geborgenheit und wirkt sexuell stimulierend.
Phenylethylamin (PEA)	Das „Liebesmolekül" PEA versetzt uns in den angenehmen Glückszustand des Verliebtseins und ermöglicht uns so den Besuch des „siebten Himmels".

Progesteron	Progesteron sorgt für die Einnistung des befruchteten Eis in der Gebärmutterschleimhaut.
Testosteron	Testosteron dient der Stärkung des Knochen- und Muskelaufbaus. Es ist das wichtigste männliche Sexualhormon, das sexuell stimulierend wirkt.
Vasopressin	Vasopressin drosselt die Funktion der Nieren und erhöht den Blutdruck.

unterscheiden sich durch ihre Größe oder besser gesagt durch die Art und Anzahl von chemischen Bausteinen, aus denen sie zusammengesetzt sind. Wie aber werden die Botenstoffe im Körper gebildet? Einige der kleinen Botenstoffe, wie viele der Monoamine, nehmen wir über die Nahrung auf.

Eiweißreiche Lebensmittel wie Fisch, Milch oder Milchprodukte, Fleisch, Hülsenfrüchte wie Bohnen, aber auch Bananen, Sonnenblumenkerne und Mandeln enthalten größere Mengen an Tryptophan, eine Aminosäure, aus der unser Körper viele Neurotransmitter selbst herstellen kann. Dieser chemische Umbau erfolgt mithilfe von Enzymen, die wie kleine Werkzeuge an dem Ausgangsstoff „herumbasteln", bis die gewünschte chemische Verbindung entstanden ist. Paprika enthält unter anderem den Scharfstoff Capsaicin. Capsaicin setzt im Gehirn Endorphine frei, Botenstoffe, die wie Opiate wirken und somit Schmerzen hemmen und regelrecht high machen können. Dieser angenehme „Paprika-Effekt" setzt allerdings nur dann ein, wenn man die Paprika roh isst.

Die Enzyme spielen auch eine große Rolle bei der Herstellung größerer Botenstoffe wie beispielsweise der Peptidhormone, die aus mehreren Aminosäuren zusammengesetzt sind. Hier sorgen die tatkräftigen Enzyme dafür, dass eine Amino-

---

Chemische Fabrik Gehirn

In einer Sekunde laufen in unserem Gehirn mehrere Millionen chemische Reaktionen ab. Zum Beispiel jetzt, während Sie diese Zeilen lesen.

---

säure an die nächste gekoppelt wird und so – Stück für Stück – das gewünschte Peptid entsteht. Der hierfür notwendige Bauplan ist in unseren Genen festgelegt.

Passt der Schlüssel?

Nachdem ein Neurotransmitter oder ein Hormon durch einen elektrischen Reiz den Befehl zur Ausschüttung erhalten hat, muss der chemische Botenstoff nun an seinem Zielort die gewünschte Wirkung auslösen. Die Voraussetzung hierfür ist, dass er eine passende Andockstelle am Zielorgan findet. Hierzu ein Beispiel: In einer Gefahrensituation wird unter anderem das Stresshormon Adrenalin über die Nebennieren in die Blutbahn ausgeschüttet. Auf dem Weg durch den Körper erreicht das Adrenalin nun alle Organe, doch nicht an jedem löst es eine Reaktion aus. Hierzu muss das Zielorgan bestimmte äußere Strukturen aufweisen, in die das Adrenalin buchstäblich hineinpasst. Dies wird auch häufig als „Schlüssel-Schloss-Prinzip" bezeichnet. Denn nur der Schlüssel (ein Botenstoff), der in die Schlösser eines Organs passt und – das ist wichtig – mit diesem die Tür öffnen kann, ist in der Lage, eine Wirkung zu entfalten.

Diese „Türschlösser" an den Organen werden in der Medizin als Rezeptoren bezeichnet. Passt der Schlüssel ins Schloss und lässt sich dadurch die Tür öffnen, dann wird eine Reaktion am Organ ausgelöst. So passt der „Schlüssel" Adrenalin zum Beispiel in gewisse Rezeptoren am Herzen, die als Beta-Rezeptoren bezeichnet werden. Über diese Rezeptoren kann der Schlüssel Adrenalin die „Türen" am Herzen öffnen und eine der typischen Stressreaktionen auslösen: eine Erhöhung des Herzschlags.

Daneben finden sich im Körper aber auch chemische „Schlüssel ohne Wirkung", die zwar in bestimmte Schlösser passen, aber nicht in der Lage sind, die Tür zu öffnen (man könnte auch sagen, dass sich der Schlüssel im Schloss nicht drehen lässt). Ein Beispiel sind die körpereigenen Schmerzkiller, die Endorphine, die eine Weiterleitung von Schmerzsignalen unterbinden, indem sie die Andockstelle für die molekularen Schmerzbotenstoffe besetzten und diese so an der Entfaltung ihrer eher unangenehmen Wirkung hindern.

Daneben gibt es eine Vielzahl von therapeutisch eingesetzten, künstlichen „Schlüsseln", die ebenfalls in ein bestimmtes körpereigenes „Schloss" passen, aber nicht in der Lage sind, eine Reaktion auszulösen. Bekannte Vertreter solcher medikamentöser „Schlüssel ohne Wirkung" sind die so genannten Beta-Blocker, welche die Andockstellen für Adrenalin am Herzen besetzen und so das Herz vor einem übermäßigen „Adrenalin-Angriff" schützen. Wird nach Einnahme eines Beta-Blockers in einer Stresssituation verstärkt Adrenalin ausgeschüttet, kann es am Herzen keine Wirkung mehr entfalten und ein herzkranker Patient bleibt eher von einer Herzattacke verschont.

Biochemisches Recycling

Was passiert aber nun im Körper, wenn der chemische Botenstoff – gleich ob ein Neurotransmitter oder ein Hormon – seine Aufgabe erledigt hat? Um eine Dauerreizung zu vermeiden, muss der Botenstoff irgendwie wieder vom Wirkungsort entfernt werden. Würde beispielsweise der Neurotransmitter, der den Daumen zur Betätigung der Fernbedienung anregt, nach vollbrachter Arbeit nicht entsorgt werden, dann könnten wir kein Programm in Ruhe schauen. Unser Daumen würde fortan ununterbrochen „zappen".

Diese „molekulare Entsorgung" geschieht häufig derart, dass der Botenstoff nach erfolgreicher Übertragung der Nachricht wieder zu seinem Speicherplatz zurückwandert. So marschiert ein großer Teil der Neurotransmitter nach dem „Klippensprung" wieder in Speicherbläschen an der Synapse, an der er freigesetzt wurde. Hier warten sie nun auf ihren nächsten Einsatz. Der Teil der Botenstoffe, der den Weg zur Speicherstelle zurück nicht findet, wird von bestimmten körpereigenen Enzymen – wie mit einer Schere – in seine chemischen Bestandteile zerschnitten und dadurch in eine unwirksame Form überführt.

Eine solche molekulare Schere ist beispielsweise ein Enzym namens Monoamino-Oxidase, kurz: MAO. Die Monoamino-Oxidase sorgt dafür, dass die aus nur einer einzigen Aminosäure bestehenden Botenstoffe wie das Dopamin und das Adrenalin abgebaut werden, nachdem sie ihren Dienst erfüllt haben. Nur so ist gewährleistet, dass die Synapse durch einen erneut eintreffenden elektrischen Reiz wieder erregbar ist.

Bei Hormonen ist es genauso: Haben sie ihr Zielorgan erreicht und dort ihren Dienst verrichtet, dann werden auch sie vom Wirkort wegtransportiert und wieder gespeichert oder einfach chemisch abgebaut. Der Abbau der Hormone findet vor allem in der Leber statt, die viele chemische Substanzen in eine unwirksame Form umwandelt. Zusätzlich wird ein Teil der „verbrauchten" Hormone über die Nieren und die Blase mit dem Urin ausgeschieden.

Durch das permanente Wechselspiel zwischen Freisetzung und Abbau befinden sich alle Botenstoffe unseres Organismus in einem harmonischen Gleichgewicht. Störungen dieses Gleichgewichts durch eine verstärkte oder verminderte Freisetzung oder einen gestörten Abbau der Botenstoffe kann die Ursache schwerwiegender Erkrankungen sein. So hat die Schüttellähmung, die sich in einem Zittern der Gliedmaßen oder unkontrollierten Bewegungen äußert, ihre Ursache in einem Mangel des Neurotransmitters Dopamin im Gehirn. Unser Körper hat in diesem Fall die Kontrolle über den Botenstoff verloren und das Nachrichtensystem im Organismus gerät aus den Fugen.

Heute beschäftigen sich Tausende von Gehirnforschern auf der ganzen Welt mit diesen chemischen Informationssystemen, deren Störung durch bestimmte Krankheiten und die Möglichkeiten einer medikamentösen Beeinflussung dieser Vorgänge. In manchen Fällen kann der Mangel eines bestimmen Hormons allein dadurch behoben werden, dass man dieses Hormon in Form eines Medikaments dem Körper künstlich zuführt. So gibt die tägliche Insulinspritze einem Diabetiker (dessen Bauchspeicheldrüse kein Insulin mehr produzieren kann) genau die Menge an Insulin, die notwendig ist, um seinen Blutzuckerspiegel im Normalbereich zu halten. Der menschliche Körper kann nicht zwischen körpereigenen und körperfremden Botenstoffen unterscheiden. Daher hat körperfremdes Insulin exakt die gleiche Wirkung wie das Insulin, welches der Körper selbst in der Bauchspeicheldrüse produziert.

Die Hormonpille als Verhütungsmittel gaukelt dem Körper eine Schwangerschaft vor, da sie dem Organismus genau die Hormone zuführt, die dieser bei einer natürlichen Schwangerschaft ganz von allein produziert. Durch die Antibabypille glaubt der Körper sich so in einem Zustand der andauernden Schwangerschaft.

Die körpereigenen Botenstoffe sind auch maßgeblich an den körperlichen Erscheinungen unserer Gefühle beteiligt. Sie sind die Drahtzieher unserer Gefühlswelt, die still im Hintergrund arbeiten. Doch wenn wir traurig, wütend oder glücklich sind, dann sind auch die chemischen Botenstoffe am Werk. Sie sind es, die unser Herz vor Glück schneller schlagen lassen, uns aber auch den Angstschweiß auf die Stirn treiben, wenn wir in eine brenzlige Situation geraten.

BIOCHEMISCHE ANGSTMACHER

Angst ist für das Überleben unverzichtbar.
(Hannah Arendt, deutsch-amerikanische
Philosophin, Soziologin und Politologin)

Die Angst vor der Spinne

Angst – ein Gefühl, das wir alle kennen, auf das wir aber gut verzichten könnten. Angst vor der bevorstehenden Prüfung, Angst davor, zu versagen, Angst, dass wir uns verletzen oder plötzlich in eine Situation geraten, die wir nicht mehr unter Kontrolle haben – und nicht zuletzt unsere allergrößten Ängste: die Angst, krank zu werden, einen geliebten Menschen zu verlieren, und die Angst vor dem Tod. Warum haben wir überhaupt dieses Gefühl, das wie kein anderes mit derart unangenehmen Empfindungen und körperlichen Begleiterscheinungen verknüpft ist? Was für einen Sinn hat dieses Gefühl, das uns oft regelrecht lähmt und zum emotionalen Spielball unseres Körpers macht? Denken Sie nur an die Menschen, die Höhenangst oder Platzangst haben, oder an diejenigen aus ihrem Bekanntenkreis, die beim Anblick einer Spinne schreiend das Weite suchen. Sie können noch so oft erklären, dass die Spinne völlig harmlos ist, es wird Ihren Bekannten nicht überzeugen, der Spinne auch nur etwas näher zu kommen.

Im Extremfall kann Angst in Panik umschlagen. Dann läuft der Spinnenhasser plötzlich hysterisch kreischend und wild um sich schlagend davon. Bleibt ein Mensch, der Angst vor engen Räumen hat, mit dem Aufzug stecken, so kann dies zu einer Panikattacke bis hin zu einem Kreislaufkollaps führen. Die Angst wird übermächtig. Der Name Panik kommt übrigens ursprünglich von Pan, dem altgriechischen Hirtengott. Pan hatte ein furchtbares Äußeres, mit dem er den Athenern auch im Kampf gegen die Perser half. Beim Grauen erregenden Anblick von Pan ergriffen die Perser kurzerhand die Flucht.

Oft wird die Angst als Urinstinkt des Menschen bezeichnet: Angst als biologischer Schutzmechanismus, der uns davor bewahrt, Schaden zu nehmen. Dennoch reagieren wir in brenzligen Situationen in aller Regel, bevor sich das Gefühl der Angst in uns breit macht. Im Moment einer akuten Gefahrensituation empfinden wir meist keinerlei Angst. Erst später, wenn wir die Situation unbeschadet überstanden haben, macht sich dieses unangenehme Gefühl in uns breit. Es gibt also die Angst, die wir im Vorfeld einer Situation, beispielsweise im Angesicht einer Prüfung, haben, und die Angst, die von uns Besitz ergreift, nachdem wir eine lebensbedrohliche Situation gemeistert haben. In dem Gefahrenmoment selbst, sei es eine akute Notsituation oder eine Prüfung, sind wir hochkonzentriert und besonders reaktionsfähig. In diesen wichtigen und manchmal alles entscheidenden Momenten wäre uns die Angst nur hinderlich.

Wenn wir Angst haben, spüren wir dies am ganzen Körper. In kritischen Situationen sind bestimmte Botenstoffe am Werk, die uns den Schweiß auf die Stirn treiben, unser Herz zum Rasen bringen und den Mund fast austrocknen lassen. Die Stresshormone kreisen nun in unserer Blutbahn und lassen uns auch körperlich spüren, was wir fühlen.

Urzeitlicher Schutz

Samstagmorgen. Gedankenversunken verlässt Stefan die Bäckerei und will gerade die Straße überqueren. Plötzlich hört er eine laute Stimme: „Vorsicht, pass auf!" Aus den Augenwinkeln erspäht Stefan gerade noch rechtzeitig, wie ein Auto mit hoher Geschwindigkeit auf ihn zu rast. Ohne auch nur einen Moment nachzudenken, springt Stefan reflexartig zur Seite. Das Auto donnert um Haaresbreite an ihm vorbei. „Glück gehabt", ist der erste Gedanke, der Stefan durch den Kopf schießt. Erst jetzt merkt Stefan, dass er heftig nach Atem ringt, sein Herz wie wild hämmert und seine Hände so sehr zittern, dass er die Tüte mit den frischen Brötchen auf den Boden fallen lassen hat. Und nun macht sich auch eine Mischung aus Angst und Panik in ihm breit.

Sicherlich kennen Sie alle eine solche oder ähnliche Situation. Wir haben einen Gefahrenmoment heil überstanden und stehen nun mit schlotternden Knien da und versuchen zu begreifen, was uns da gerade eigentlich passiert ist. Hiervon völlig unbeeindruckt hat unser Körper bereits reagiert und ganz eigenständig unsere Haut gerettet.

Unser Vorfahr, der Urmensch, kannte zwar noch keine Autos, allerdings war auch sein Leben voller Gefahren. Wenn der Höhlenmensch auf seiner Suche nach Nahrung sich plötzlich und unvermittelt einem Raubtier gegenübersah, dann hatte er nur Sekundenbruchteile, um seine Haut zu retten. Hierbei gab es zwei Möglichkeiten, der Gefahr zu begegnen: Kampf oder Flucht. Und unabhängig davon, für welche Alternative er sich entschied, musste sein Körper besonders gerüstet sein, um sein Überleben zu sichern. In gefährlichen Situationen geht es uns auch heute noch nicht anders. Wir haben gesehen, dass in einer Notsituation der denkende Teil des Gehirns, die Großhirnrinde, erst gar nicht nach ihrer Meinung gefragt wird. Dies würde einfach zu lange dauern. Daher entscheidet nun der Mandelkern, was zu tun ist. Blitzschnell sendet er über Nervenbahnen einen Notruf an den Hypothalamus. Dieser leitet die Warnmeldung augenblicklich über den sympathischen Teil unseres Nervensystems an alle Organe weiter. Gleichzeitig aktiviert er die Nebenniere zur Ausschüttung von Stresshormonen.

Der sicherlich bekannteste Vertreter der Stresshormone ist das Adrenalin. Die sprichwörtliche Redewendung zur Beschreibung einer Schrecksekunde: „Mein Adrenalinpegel schoss augenblicklich in die Höhe", kennen Sie alle. Allein das Halten eines Vortrags vor Publikum erhöht den Adrenalinspiegel auf das Doppelte. Ist eine extreme Gefahr in Verzug, kann die Konzentration der Stresshormone das sogar Fünffache des Normalwertes erreichen.

Die erdnussgroßen Nebennieren liegen wie kleine Kappen auf den beiden Nieren und sind etwa zehn bis zwölf Gramm schwer. Die Nebennieren bestehen aus der gelblichen Nebennierenrinde, die etwa 80 Prozent des Gesamtorgans ausmacht, und dem braunroten Nebennierenmark. Im Nebennierenmark werden die Stresshormone Adrenalin und Noradrenalin gebildet und bis auf Abruf gespeichert. Der Name „Adrenalin" weist übrigens auf den Bildungsort dieses Hormons im Körper hin: ad (lat.) = zu, renes (lat.) = Nieren, Adrenalin bedeutet also ein Stoff, der in den Nieren gebildet wird. Im Jahre 1905 konnte Adrenalin als erstes Hormon im Labor künstlich hergestellt werden. Die Nebennieren sorgen für die Anpassungsfähigkeit unseres Körpers an Belastungen. Entfernt man bei Versuchstieren die Nebennieren, so führt dies zu schweren Störungen des Herz-Kreislauf-Systems, die bereits nach wenigen Tagen zum Tode führen.

Doch zurück zu einer Stresssituation: Nach seiner Ausschüttung reduziert
Adrenalin augenblicklich die Blutzufuhr zu all denjenigen Organen, die in einer
Notsituation nicht unbedingt gebraucht werden. Gleichzeitig beschleunigt es den
Blutfluss zu den wichtigen Organen wie Gehirn, Herz und Muskeln. Durch die erhöhte Blutzufuhr werden diese Organe nun mit mehr Sauerstoff und Nährstoffen
versorgt und so zu biologischen Höchstleistungen angetrieben. Unser Gehirn be-
dankt sich für diese Extradosis Energie mit einer erhöhten Aufnahmebereitschaft
und einem geschärften Verstand.

Da nun auch mehr Blut zum Herzen fließt, muss das Herz häufiger schlagen,
um die höhere Blutmenge durch den Körper zu pumpen – das berühmt-berüch-
tigte Herzrasen stellt sich ein. Diesen Adrenalineffekt macht man sich übrigens in
der Behandlung eines Herzstillstands gezielt zu Nutze: Spritzt man in einem solchen Fall Adrenalin direkt ins Herz, so beginnt das Herz oftmals wieder zu schlagen, da es nun den „Herztreibstoff" Adrenalin von außen künstlich zugeführt bekommen hat.

Durch die vermehrte Ausschüttung von Adrenalin werden auch die Lungen
besser durchblutet. Nun kann mehr Sauerstoff ins Blut aufgenommen werden, wodurch eine zusätzliche Portion Energie in unseren Körper gelangt. Die Lungenflü-
gel können sich nun auch besser ausdehnen, wodurch wir besser Luft bekommen
und genug Puste für eine möglicherweise bevorstehende Flucht oder einen Kampf
haben.

Die Verdauungsvorgänge werden hingegen in einer Notsituation gedrosselt,
denn eine gut funktionierende Verdauung ist im körperlichen Ausnahmezustand
nicht sonderlich wichtig. Oder haben Sie jemals in einer brenzligen Situation an

Essen gedacht? Dass unser Körper jetzt andere Probleme hat als die Befriedigung kulinarischer Genüsse, merken wir auch an unserem trockenen Mund. Die Speichelproduktion wird vermindert, da uns jetzt wirklich nicht nach einer Pizza zu Mute ist. Im alten China, so wird behauptet, versuchte man Verdächtige durch deren trockenen Mund zu überführen: Man gab ihnen während des Verhörs Reis zu essen und wer schuldig war, so die Theorie, produzierte durch die Angst weniger Speichel und konnte den Reis nicht mehr schlucken. Durch die Ausschüttung von Adrenalin in einer Stress- oder Gefahrensituation wirkt dieser Botenstoff auch auf den Rachenmuskel. Die durch das Adrenalin verursachte Verspannung dieser Muskulatur fühlt sich dann wie „ein Kloß im Hals" an.

Dass weniger wichtige Organe nun weniger stark durchblutet werden, merken wir auch daran, dass wir plötzlich „kalte Füße" bekommen. Die Blutzirkulation zur Haut und den Extremitäten wird zu den „Powerorganen" umgeleitet, und da nun weniger Blut in die Außenbezirke unseres Körpers gelangt, kühlen diese ab.

Bei einer extrem brenzligen Situation kann es zudem zu einer spontanen und ungewollten Entleerung von Blase und Darm kommen. Wenn dies auch etwas unangenehm ist, so ist es für einen bevorstehenden Kampf oder eine Fluchtreaktion unter Umständen recht nützlich, mit weniger Ballast und ohne Kneifen in den Ausscheidungsorganen anzutreten.

Aber es passiert noch viel mehr in unserem Körper, wenn wir auf Alarmbereitschaft umschalten oder, besser ausgedrückt, umgeschaltet werden. Zum Beispiel weiten sich unsere Pupillen, damit wir der Gefahr besser ins Auge blicken können. Der Körper setzt zudem vermehrt Zucker frei, damit unsere Muskeln mit zusätzlicher Energie versorgt werden, um so jederzeit für den rettenden Sprung zur Seite gerüstet zu sein. Zudem schwitzen wir verstärkt. Der Schweiß befeuchtet die

---

Nicht einschlafen!

Während Sie gerade lesen, beträgt die Menge an Adrenalin in Ihrem Körper etwa acht bis zehn Milliardstel Gramm. Das reicht aus, damit Sie bei der Lektüre nicht einschlafen. Würde jetzt unvermittelt eine Tür zufallen, dann würde die Adrenalinkonzentration plötzlich auf das Zehnfache dieser Menge ansteigen.

Hände und verschafft uns so einen besseren Griff. Es könnte ja sein, dass wir uns handfest zur Wehr setzen müssen (nicht umsonst spucken wir in die Hände, wenn wir kraftvoll zupacken wollen).

Kurzum: Alle diese körperlichen Reaktionen, ausgelöst durch das Adrenalin, versetzen unseren Organismus in einen Zustand erhöhter Alarmbereitschaft mit seinen „stressigen" körperlichen Erscheinungen.

Blind vor Wut

Die körperlichen Erregungszustände der Angst und Panik können leicht in ein völlig gegenteiliges Verhalten umschlagen: wütender Angriff. Wir haben gesehen, dass durch den Adrenalinschub in einer Gefahrensituation unser Körper auf Hochtouren läuft. Nun sind wir bestens gerüstet für eine erforderliche Flucht, aber eben auch für einen bevorstehenden Kampf. Wenn wir in eine Gefahrensituation geraten, dann schaltet sich irgendwann der denkende Teil unseres Gehirns ein. Kommt er zu dem Schluss, dass es besser ist den Rückzug anzutreten, dann nehmen wir die Beine unter die Arme und rennen, was das Zeug hält – und zwar von der Gefahrenstelle weg. Sieht das Gehirn – nach Abschätzung des Gefahrenherdes – eine Möglichkeit, diesem siegreich zu begegnen, dann treten wir nicht selten die „Flucht nach vorn" an. Wir stürzen auf die Bedrohung zu und stellen uns der Gefahr (eine Alternative, die bei einer unvermittelten Begegnung mit einem Auto sicherlich die falsche Entscheidung wäre).

Oft wird unser Angriff von Geschrei begleitet und nicht selten sind wir außer uns vor Wut. Wenn Angst in Wut umschlägt, dann hat das Adrenalin seine Finger im Spiel. Adrenalin erhöht nicht nur unsere körperliche Fitness, sondern es kann uns auch richtig wütend und angriffslustig machen. Plötzlich kennen wir keine Angst mehr, und statt vor dem kläffenden Hund davonzulaufen, rennen wir einen Knüppel schwingend auf ihn zu. Nun bestimmen Wut und Aggression unseren Gefühlshaushalt.

Adrenalin ist somit an zwei gegensätzlichen Gefühlen beteiligt: Zum einen bestimmt es die körperlichen Empfindungen bei Angst, zum anderen die der Wut.

Adrenalin lässt uns vor Angst „in die Hose machen" aber auch „blind vor Wut" werden. Denken Sie nur an die Bilder von Prügeleien nach Fußballspielen. Die während des Spiels aufgebaute Anspannung entlädt sich nun in einem aggressiven Verhalten.

Die Aggression ist auch häufig ein Ventil, um überschüssiges Adrenalin abzubauen. Natürlich ist es besser, nach einer Ausschüttung von Adrenalin den erhöhten Adrenalinspiegel durch eine andere körperliche Aktivität wieder zu senken. So kann ein Waldlauf nach einem anstrengenden und nervenaufreibenden Arbeitstag oft Wunder wirken. Unser Körper läuft nun auf Hochtouren und verbraucht enorme Mengen an Adrenalin. Manchmal wird die „Überdosis" Adrenalin jedoch in Form von Wut und Aggression abgebaut. Wenn man sich auf diese Art Luft machen muss, dann sollte man einen Sandsack vorziehen, dem die Schläge keine Verletzungen zuführen.

Der kleine Bruder passt auf

Das Adrenalin teilt sich viele seiner Aufgaben mit seinem „kleinen Bruder" Noradrenalin. Den Titel „kleiner Bruder" hat das Noradrenalin dem Umstand zu verdanken, dass es bisher wissenschaftlich wesentlich weniger untersucht wurde als sein bekannter Bruder Adrenalin. Dennoch mischt auch das Noradrenalin entscheidend in unserem Körpergeschehen mit, wenn unser Organismus auf Alarmbereitschaft geschaltet wird.

Wie das Adrenalin wird Noradrenalin in der Nebennierenrinde produziert und hier bis auf Abruf gespeichert. In der Stresshormonfabrik Nebenniere ist Noradrenalin auch die chemische Vorstufe zur Herstellung von Adrenalin. Noradrenalin selbst wird in der Nebennierenrinde mithilfe eines Enzyms aus Tyrosin, einer weiteren körpereigenen Aminosäure, gebildet. Wieder andere Enzyme übernehmen dann den Umbau von Noradrenalin zu Adrenalin (Adrenalin und Noradrenalin sind somit im biochemischen Sinne tatsächlich enge Verwandte). Der Verwandtschaftsgrad von Adrenalin und Noradrenalin zeigt sich auch an der Namensgleichheit der beiden Verbindungen. Die Vorsilbe „Nor" (lat. = ohne) weist lediglich darauf hin, dass dem Noradrenalin im Vergleich zum Adrenalin eine einzige chemische Gruppe fehlt. Das Produktionsverhältnis der Nebenniere für diese beiden Stresshormone beträgt 4:1 zugunsten des Adrenalins. Noch ein Plus für den „großen Bruder".

Wenn es gefährlich wird, dann erhöht sich auch der Noradrenalinspiegel. Bei Gefahr und körperlichen Anstrengungen liegt die Noradrenalinmenge im Blut immerhin etwa 50 Prozent höher als der Normalwert. Teilweise wirkt das Noradrenalin auch der tobenden Wirkung des Adrenalins in unserem Körper entgegen. Wenn das Adrenalin im Blut zu stark ansteigt, dann hemmt das Noradrenalin eine weitere Freisetzung seines „Stresskollegen" aus den Nebennieren.

Hierzu ein Beispiel: Wenn wir uns konzentrieren wollen, wird vor allem das Noradrenalin wichtig. Es aktiviert unter anderem auch die grauen Zellen in unserem Großhirn und hilft uns, schwierige Aufgaben besser und schneller zu lösen. Ein weiterer Effekt, der in einer Notsituation von Vorteil ist. Denn eine erhöhte Denk- und Aufnahmefähigkeit hilft uns, die jeweilige Situation besser einschätzen zu können. Wenn wir uns allerdings konzentrieren möchten, dann dürfen wir nicht gleichzeitig zu aufgeregt sein. Deshalb schaltet das Noradrenalin die Freisetzung von Stresshormonen aus der Nebenniere einen Gang zurück. Nun sind wir sehr aufmerksam und ruhig genug, um uns auf eine Sache voll und ganz zu konzentrieren. Zusätzlich löst das Noradrenalin einige Wirkungen aus, die denen des

---

Steckbrief – Noradrenalin

Wie das Adrenalin versetzt Noradrenalin den Körper in einen Zustand der erhöhten Alarmbereitschaft und bereitet uns so auf eine Kampf- oder Fluchtreaktion vor. Zudem kontrolliert das Noradrenalin die „tobende" Wirkung von Adrenalin. Folgende Faktoren können die Noradrenalinkonzentration beeinflussen:

• Gefahr- oder Notsituation ↑
• Stress ↑
• Sexuelle Erregung ↑
• Drogen wie Kokain ↑
• Entspannung ↓

Adrenalins entgegengesetzt sind. So sorgt Noradrenalin für eine Verlangsamung des Herzschlags, eine Erweiterung der Blutgefäße und somit zu einer Drosselung des Blutdrucks. Dies ist durchaus sinnvoll, da das Noradrenalin so das wild wütende „Aufputschhormon" Adrenalin noch besser im Zaum halten kann.

Die Ausschüttung von Noradrenalin hat auch noch einen angenehmen Nebeneffekt: Die Freisetzung des kleinen Bruders von Adrenalin wirkt stimmungsaufhellend und leistet so einen Beitrag zu unserer seelischen und körperlichen Ausgeglichenheit.

Doppelte Wirkung

Neben ihrer Wirkung als Hormone der Nebenniere finden wir Adrenalin und Noradrenalin auch noch an einer ganz anderen Stelle im Körper. Beide Substanzen sind auch als Neurotransmitter im Nervensystem tätig. Hier sitzen sie in den Synapsen des sympathischen Teils des Nervensystems, der unseren Körper – ohne unser willentliches Zutun – auf einen Zustand höchster Betriebsamkeit umstellt. Adrenalin und Noradrenalin warten hierbei als letzte Läufer des „Staffellaufs" der Neurotransmitter auf den finalen Klippensprung, der das Feuer am Zielorgan entfacht. Die Effekte, die sie an den Organen auslösen, unterscheiden sich nicht von den Wirkungen in ihrer Funktion als Hormone. So löst das Adrenalin als letzter Neurotransmitter in der sympathischen Nervenbahn zum Herzen ebenfalls eine Erhöhung des Herzschlags aus. Über die Nervenbahn zum Magen vermittelt das Adrenalin hingegen eine Drosselung der Verdauungstätigkeit.

Kurzum: die gleichen Wirkungen an den jeweiligen Organen, die es auch als Hormon auslöst. Der kleine, aber feine Unterschied liegt in der Geschwindigkeit, mit der es diese Reaktionen hervorruft. Die Reizweiterleitung über eine Nervenbahn geht wesentlich schneller vonstatten als die Entsendung eines Botenstoffes als Hormon. Kein Wunder, denn die Nebenniere erhält ja auch zunächst ihren Befehl zur Ausschüttung von Adrenalin und Noradrenalin über eine Nervenbahn. Daraufhin beginnt die Nebenniere mit der Freisetzung ihrer Hormone in die Blutbahn. Erst über diesen Umweg gelangen die Hormone schließlich zu ihrem Ziel.

Der Neurotransmitter war dann schon längst da und hat eine entsprechende Wirkung ausgelöst. Die Hormone sind somit gewissermaßen die Verstärkungstruppe, die die Neurotransmitter bei der Umstellung einer Organfunktion tatkräftig unterstützen. Die schnelle Eingreiftruppe der Neurotransmitter hat bis dahin schon gute Vorarbeit geleistet. In einer Stresssituation wirken Adrenalin und Noradrenalin somit gleich doppelt. Dies untermauert die Wichtigkeit der molekularen Stressboten in einer Gefahr- oder Notsituation: Unser Körper schickt sie gleich auf zwei unterschiedlichen Wegen zu allen Organen. Die direkte Sympathikusaktivierung dauert nur wenige Sekunden. Dann ist der Körper komplett auf Alarmbereitschaft umgestellt. Die Freisetzung der Stresshormone aus der Nebenniere nimmt hingegen einige Minuten in Anspruch. Allerdings hält die Wirkung der Hormone länger an.

Gemächlicher Stressbekämpfer

Es ist schon 20 Uhr. Stefan sitzt noch immer im Büro und beschäftigt sich mit den Umsatzzahlen, die sein Chef ihm auf den Schreibtisch gelegt hat. Wie immer will sein Boss die Analyse der Zahlen noch heute Abend haben. Stefans Herz beginnt wieder zu rasen, als er an den Streit mit seinem Chef von heute Morgen denkt. Wieder einmal hatte sein Chef ihm vorgeworfen, dass er zu langsam arbeiten würde und man mit seiner Arbeit nicht zufrieden sei. Stefan merkt, dass ihm dieser Druck langsam an die Nieren geht und er nicht mehr richtig abschalten kann. Vielleicht sollte er wieder einmal joggen gehen, um diese innere Anspannung zu lösen.

Wir haben gesehen, dass die körperlichen Begleiterscheinungen einer Notsituation für uns Stress darstellen. Alle Symptome dieser Umstellung auf einen Kampf oder eine Flucht sind die uns allen bekannten Stressanzeichen. In der Regel sind diese körperlichen Empfindungen jedoch nur von kurzer Dauer. Nur wenige Minuten nachdem das Auto davongebraust ist, beruhigen wir uns wieder und können den Rest des Tages entspannt genießen. Der kurze Moment der Aufregung ist dann schon wieder vergessen.

Diese Form des Kurzzeitstresses, die wir ab und an erleben, ist durchaus gesund. Durch das plötzliche Umschalten auf einen Zustand erhöhter körperlicher und geistiger Aktivität werden unsere wichtigen Organe durch Adrenalin und Noradrenalin auf Hochtouren gebracht. Man könnte auch sagen, dass auf diese Art und Weise unser Körper daraufhin getestet wird, ob er noch einwandfrei funktioniert und seine Maximalleistung erbringen kann. Würde unser Körper nicht in regelmäßigen Abständen hinsichtlich seiner Fähigkeit, Stress zu bewältigen, geprüft, dann könnte er regelrecht „einrosten" und in einer Gefahrensituation nicht mehr entsprechend reagieren. Wahrscheinlich würden wir dann beim Anblick eines heranbrausenden Wagens wie versteinert stehen bleiben anstatt zur Seite zu springen.

Problematisch wird es jedoch für unseren Körper, wenn sich der Zustand der gesteigerten Alarmbereitschaft nach einer erfolgreich überstandenen Gefahrensituation nicht wieder normalisiert. Dann befinden wir uns im Dauerzustand Stress, der unsere Stimmung und Gefühlslage maßgeblich beeinflusst. Wenn wir jeden Morgen mit Bauchschmerzen zur Arbeit gehen aus Angst davor, dass uns unser Chef wieder einmal grundlos anbrüllt und uns vorwirft, wir würden unsere Aufgaben nicht ordentlich erledigen, dann können wir krank werden. Wenn wir vom Chef heruntergeputzt wurden – zu Recht oder zu Unrecht – sehen wir unsere Karriere oder unseren Job in Gefahr. Prompt löst das Zwischenhirn die Hormonausschüttung aus und die Stressreaktionen setzen ein, auch ohne Urwaldtiger oder Auto.

Der Unterschied: In aller Regel springen wir nicht auf und verbrauchen die angestaute Energie durch einen Sprint weg von der Quelle der Gefahr oder indem wir auf unseren Chef zustürzen. Stattdessen unterdrücken wir diese Symptome und versuchen ruhig zu bleiben. Fehlt es uns an Möglichkeiten, diese überschüssige Energie los zu werden, dann beginnt der Stress uns auch körperlich zuzusetzen. Hier hilft eigentlich nur eins: abschalten und entspannen oder den Überschuss an Stresshormonen durch körperliche Aktivitäten abbauen. Aber das ist natürlich oftmals leichter gesagt als getan.

Permanenter Stress kann eine mögliche Ursache für einen erhöhten Blutdruck oder Essstörungen sein. Die Stresshormone kreisen nun fortwährend in unserem Körper und lösen die Symptome aus, die in einer akuten Situation durchaus sinnvoll sind: Herzrasen, Unruhe, Appetitlosigkeit und Schlafstörungen sind nur einige Beispiele hierfür.

Cortison schützt Unfallopfer

Opfer von Verkehrsunfällen mit einem niedrigen Cortisonspiegel werden schwerer mit den seelischen Folgeschäden des Unfalles fertig. Sie erkranken nach dem Unfall eher an einer so genannten traumatischen Belastungsstörung und können das traumatische Ereignis schlechter verarbeiten.

Zusätzlich wird bei länger andauerndem Stress ein weiterer Botenstoff ausgeschüttet, der dem Körper eigentlich Gutes tun soll: das Cortison. Das Cortison (auch Cortisol genannt) wird wie seine „Stresskollegen" Adrenalin und Noradrenalin ebenfalls in den Nebennieren, allerdings im Nebennierenmark, produziert. Auf Kommando unseres Oberstübchens wird es unter der Regie des Hypothalamus in die Blutbahn entsendet. Allerdings lässt sich das Cortison mehr Zeit als seine flinken „Panikkollegen" und wird erst nach etwas längerer Zeit ausgeschüttet.

Cortison macht sich dann auf die Reise durch unseren Körper, wenn wir einer länger andauernden körperlichen oder seelischen Belastung wie lang anhaltendem Schmerz, Hunger, Krankheit, Sorgen oder Einsamkeit ausgesetzt sind. Die Hauptaufgabe des Cortisons besteht darin, unseren Körper in solchen Situationen zu schützen. So dämpft das Cortison unter anderem Schmerzen und hemmt Entzündungen. Cortison wird daher auch therapeutisch zur Behandlung von entzündlichen und schmerzhaften Erkrankungen wie Rheuma oder Gicht eingesetzt. Die gesamte Anwendungspalette von cortisonhaltigen Medikamenten reicht von der Schockbekämpfung bis hin zur Behandlung von Allergien. Daneben kurbelt das Cortison auch den Stoffwechsel von Kohlenhydraten, Eiweißen und Fetten an und stellt somit zusätzliche Energie zur Bewältigung von länger andauernden körper-

Steckbrief – Cortison

Das „Stresshormon" Cortison bremst Entzündungen und Schmerzen im Körper und hilft, Stress erträglicher zu machen:

• Gefahr- oder Notsituation ↑
• Stress ↑
• Entspannung ↓

lichen und seelischen Belastungen bereit. In der Leber beschleunigt Cortison zudem die Umwandlung von Aminosäuren in Zucker und sorgt somit für ausreichende Gehirnnahrung. Ein hoher Cortisonspiegel steigert zudem die Reizschwelle für Sinneswahrnehmungen und erleichtert uns so die bessere Unterscheidung zwischen verschiedenen Reizen. Nun können wir zum Beispiel zwei sehr ähnliche Geräusche besser auseinander halten und dadurch lokalisieren, aus welcher Richtung eine Gefahr droht.

Je mehr Cortison produziert wird, umso besser sind wir für kurze Stressphasen gerüstet. Cortison unterdrückt die Schmerzwahrnehmung und hilft uns, nicht krank zu werden, wenn wir besonders gefordert sind. So werden wir oftmals erst dann krank, wenn wir nach einer völlig hektischen Arbeitsphase endlich unseren ersten wohlverdienten Urlaubstag genießen wollen. Das Cortison hatte uns in diesem Fall so lange beschützt, bis die Erholung eintrat. Durch die Atempause sinkt die stressbedingt erhöhte Cortisonmenge im Blut wieder ab und Krankheitserreger haben nun leichteres Spiel.

Ist der Cortisonspiegel jedoch für längere Zeit erhöht, können wir nicht mehr richtig abschalten. Dann wird Cortison fortwährend hektisch produziert, was vor allem Haut und Haaren schadet. Wenn Sie also in das aschgraue Gesicht eines chronisch gestressten Menschen blicken, dann war hier Cortison am Werk. Aber auch die Immunabwehr funktioniert jetzt nicht mehr so wie sie soll. Bei einer längeren Stressphase wird die körpereigene Immunabwehr durch die entzündungshemmende Wirkung des Cortisons gedrosselt, wodurch unser Körper bei der Abwehr möglicher Infektionen schwächelt. Somit gilt auch für das Cortison: Zu viel ist nicht gut und schadet unserem Körper mehr, als es hilft.

Bei mehr als 50 Prozent der Patienten mit schweren Depressionen ist der Cortisonspiegel chronisch erhöht. Ein Zuviel an Cortison laugt uns also nicht nur körperlich aus, es drückt auch auf unsere Stimmung. Hierzu ein Beispiel aus dem Alltag: Nach einem anstrengenden Arbeitstag gönnt man sich etwas Entspannung und lauscht seiner Lieblingsmusik, um etwas Ruhe zu finden und abschalten zu können. Der Cortisonspiegel sinkt merklich, man fühlt sich wieder ausgeglichen und kann neue Energien für den nächsten Tag tanken. Plötzlich dringt lauter Partylärm aus dem Nachbarhaus an unsere Ohren. Augenblicklich ist die Entspannung dahin, der Cortisonspiegel schnellt in die Höhe und lässt uns wütend brüllen: „Stellt endlich diesen nervigen Krach ab!"

Wie das Adrenalin hat auch das Cortison einen körpereigenen Aufpasser, der dafür sorgen soll, dass die schädlichen Cortisonwirkungen nicht die Oberhand gewinnen. Das Hormon Dehydroepiandrosteron (abgekürzt DHEA) ist der Gegenspieler des Stresshormons Cortison und baut überschüssiges Cortison ab. Wenn uns zu viel Cortison auf die Palme gebracht hat, dann holt uns eine vermehrte Ausschüttung von DHEA wieder von dieser runter. Ältere Patienten mit einem niedrigen DHEA-Spiegel, denen Mediziner zusätzliches DHEA spritzen, berichteten von einer erhöhten Vitalität, besserem Schlaf, Entspanntheit und der Fähigkeit, stressige Situationen besser zu überstehen. Aber dazu später mehr.

MOLEKULARE STIMMUNGSBAROMETER

Es ist sehr schwer, das Glück in uns zu finden,
und es ist ganz unmöglich, es anderswo zu finden.
(Chamfort, französischer Schriftsteller)

Molekulare Gefühlsachterbahn

Glücklich sein, das wollen wir alle. Unser ganzes Streben ist nach diesem Ziel aus-
gerichtet. Alles was wir tun, tun wir letztendlich, um glücklich zu sein. Natürlich
definiert jeder Mensch den Zustand des „Glücklichseins" anders. Für manch einen
bedeutet die Entdeckung der lang gesuchten wertvollen Briefmarke Glück, für einen anderen das Finden der wahren Liebe. Manchmal versuchen wir das Glück sogar mit der „Brechstange" zu erzwingen: Wir spielen Lotto, um endlich die Million
zu gewinnen, die uns ein unbeschwertes, sorgenfreies und somit glückliches Leben bescheren soll. So sucht jeder sein Glück woanders. Hat er sein persönliches
Ziel erreicht, dann ist jeder Mensch auf seine Art und Weise mit sich und der Welt
zufrieden, kurzum: glücklich. Die Triebfeder all dieser Anstrengungen ist, uns ein
seelisches und körperliches Wohlbehagen zu bescheren. Wenn wir glücklich sind,
fühlen wir uns rundum wohl – einfach besser.

Leider wird unser Alltag und unser Leben nicht immer nur vom Glück bestimmt. Plötzliche Schicksalsschläge oder Misserfolge bringen es mit sich, dass
unsere Stimmung auf einmal umkippt und wir alles andere als glücklich und zufrieden sind. Oft reicht ein kleiner Auslöser, um uns von einem Stimmungshoch in
eine tiefe Niedergeschlagenheit zu befördern. Werden wir von unserer großen
Liebe verlassen, dann weicht das absolute Hochgefühl des Verliebtseins einem Gefühl von Trauer und wir fühlen uns hundeelend. Nun erleben wir die Kehrseite des
Glücks: Unzufriedenheit, Unausgeglichenheit, Traurigkeit bis hin zur schlimmsten
Form der Niedergeschlagenheit, der Depression.

Wenn es um unsere emotionalen Höhen und Tiefen geht, dann sind auch hier
chemische Botenstoffe am Werk, die sowohl die seelischen als auch die körperlichen

Reaktionen dieser Gefühle begleiten. Angenehme und unangenehme Gefühle entstehen gleichermaßen zunächst im Kopf. Aufgrund der eintreffenden Sinnesreize wird die Lebenssituation analysiert und unser Gehirn beginnt dementsprechend das „Konzert der Botenstoffe" zu dirigieren. Bestimmte „Stimmungsmoleküle" machen sich nun ans Werk und vermitteln das „Kopfgefühl" dem ganzen Körper. Viele dieser Botenstoffe werden auch im Gehirn selbst ausgeschüttet und aktivieren so bestimmte Gehirnfunktionen, vor allem die Gefühlsareale im limbischen System.

Die molekularen Gefühlsboten sorgen dafür, dass das entsprechende Gefühl (zunächst) kein Ende nimmt. Doch kein Gefühl währt ewig. Irgendwann pendeln sich die Botenstoffe wieder auf ihren Normalwert ein und mit ihnen verschwindet das Gefühl – sei es angenehm oder weniger angenehm. Wäre das Glück unser Normalzustand, dann könnten wir die glücklichen Momente, Stunden und Tage unseres Lebens gar nicht derart genießen und wahrscheinlich würden wir beginnen, einfach vor uns hinzuleben. Eben ohne die Stimmungsschwankungen, die unser Leben erst ausmachen. Die molekulare Achterbahnfahrt unserer Gefühlswelt wird vor allem durch zwei Moleküle bestimmt: Serotonin und Dopamin. Diese beiden Botenstoffe mischen bei vielen unterschiedlichen (und oft gegensätzlichen) Gefühlslagen mit, was ihre Tätigkeiten schwierig zu fassen macht. Denn lediglich die Menge an Serotonin und Dopamin in unserem Gehirn entscheidet darüber, ob wir eher schwermütig oder heiter und gelassen durchs Leben laufen.

„Ich will keine Schokolade ..."

„Ich will keine Schokolade, ich will lieber einen Mann", dieser deutsche Schlager spielt auf einen Botenstoff an, der vor allem dann auf den Plan tritt, wenn es um unsere Stimmungslage geht: das Serotonin. Wenn wir glücklich und zufrieden sind, dann haben wir dies vor allem der „Gute-Laune-Wirkung" von Serotonin zu verdanken. Serotonin hat die chemische Bezeichnung 5-Hydroxytryptamin, weshalb es oft auch als 5-HT abgekürzt wird. Produziert wird das Serotonin hauptsächlich im Stammhirn. Wenn es den Befehl hierzu erhält, wird es in unterschiedliche Gehirnabschnitte gesendet und aktiviert so auch die „Stimmungszentren"

unter unserer Schädeldecke. Darüber hinaus dämpft Serotonin körperliche
Schmerzen, verengt die Gefäße und hemmt Entzündungen.

Gerade einmal zehn Milligramm dieser Substanz finden sich in unserem Körper, und nur ein Prozent davon schwirrt als Neurotransmitter in unserem Gehirn
herum. Neun Prozent der Gesamtmenge an Serotonin kreisen im Blut, und die
restlichen 90 Prozent helfen tatkräftig bei der Verdauung mit. Dennoch sorgt die
richtige Serotoninmenge in unserem Oberstübchen dafür, dass wir uns wohl fühlen, selbstbewusst und ausgeglichen sind. Selbst geringe Abweichungen von diesem Normalwert können diese „rosa" Stimmungslage aus dem Gleichgewicht bringen. So gelten Störungen des Serotoninhaushalts in unserem Gehirn als eine
mögliche Ursache für Depressionen – aber auch von unkontrolliertem Appetit. Daneben soll ein Zuviel oder Zuwenig an Serotonin bei der Migräne, der Schizophrenie und sogar bei extremer Gewalttätigkeit eine Rolle spielen.

Die Produktion des „Stimmungsmoleküls" Serotonin wird unter anderem durch
Licht angekurbelt. Scheint die Sonne, wird mehr Serotonin freigesetzt und unsere
Laune steigt merklich. Ein Effekt, den wir alle kennen. Kein Wunder also, dass Süd-
länder in der Regel zufriedener, aber auch temperamentvoller sind als Menschen,
die in den lichtärmeren nordischen Ländern leben. Doch kommen wir zu dem deutschen Schlager zurück, der die Alternative „Schokolade" als Liebesersatz besingt.
Tatsächlich besteht zwischen der Nahrung und unserer Stimmungslage ein enger

Zusammenhang. Der Genuss so mancher Speise kann in unserem Gehirn ähnliche Gefühle auslösen wie ein frisch entbranntes Liebesglück oder ein Lotteriegewinn.

Kohlenhydratreiche Nahrungsmittel wie Bananen, Müsli oder Vollkornbrot können unsere Laune deutlich verbessern. Da der Körper Kohlenhydrate in Zucker umwandelt, steigt durch die Zufuhr von Kohlenhydraten automatisch auch die Konzentration unseres Blutzuckers. Wird nun vermehrt Zucker gebildet, so erhält die Bauchspeicheldrüse den Befehl, mehr Insulin auszuschütten, um mit dessen Hilfe den überschüssigen Zucker wieder abzubauen. Das Insulin wiederum erhöht die Menge an Tryptophan, eine Aminosäure, aus der im Körper Serotonin gebildet wird. Über die Blutbahn gelangt das Tryptophan auch in unser Gehirn, wo es die Serotoninbildung vorantreibt. Tryptophan selbst ist auch in vielen eiweißhaltigen Produkten wie Fisch, Fleisch oder Milch enthalten, die so einen weiteren Beitrag zu unserer ernährungsbedingten Stimmungsaufhellung leisten.

Fettarme Ernährung kann hingegen auf unsere Stimmung drücken: Menschen, die sehr wenig Fett essen, sind oft gereizter und auch empfindlicher gegen Schmerzen. Ihnen fehlt es an einer Extraportion Tryptophan als biochemische Vorstufe für die körpereigene Serotoninproduktion.

Interessanterweise kann der völlige Verzicht auf Nahrung ebenfalls unsere Stimmung verbessern. Nach den ersten drei Tagen ohne Nahrungsaufnahme verschwindet meist das Hungergefühl und eine euphorische Stimmung macht sich breit. Dies mag auf den ersten Blick vielleicht paradox klingen, ist aber einfach zu erklären: Durch die fehlende Zufuhr von Nahrung wird Serotonin aus allen vorhandenen Reservespeichern freigesetzt und dadurch die Menge an herumschwirrendem Serotonin automatisch erhöht. Als Folge hiervon steigt unser Stimmungsbarometer bis hin zu einem berauschenden Glücksgefühl. Durch eine Erhöhung des Serotoninspiegels schwindet auch das Hungergefühl. Daher werden Medikamente, die die Serotoninmenge in unserem Körper künstlich in die Höhe treiben, auch als Schlankheitspillen angepriesen. Sie nutzen einen Effekt aus, den wir alle kennen: Wenn wir glücklich und zufrieden sind, dann verspüren wir kaum Hunger. Verliebte kennen diesen Ausnahmezustand unseres Magens nur zu gut. In Zeiten schlechter Stimmung legen wir hingegen gern ein ausgiebiges Frustessverhalten an den Tag. Alles was sich in unserem Kühlschrank befindet, wird vertilgt, in der Hoffnung, dass sich unsere Laune bessert. Mittlerweile gibt es auch zahlreiche Kochbücher, die nur Rezepte enthalten, deren Genuss den Serotoninspiegel erhöhen soll. Der positive Effekt dieser „Gehirnnahrung": Sie macht nicht nur satt, sondern ganz nebenbei auch ein wenig glücklicher.

Auch Schokolade enthält geringe Mengen an Serotonin. Wenn wir diesen süßen „Liebesersatz" genießen, ist es jedoch nicht – wie oft behauptet wird – der Gehalt an Serotonin, der für die stimmungsaufhellende Wirkung der Schokolade verantwortlich ist. Wenn dem nämlich so wäre, müsste ein Erwachsener etwa 20 Kilogramm Vollmilchschokolade essen, um auch nur eine annähernd berauschende Wirkung zu spüren. Vielmehr ist es der hohe Gehalt an Kohlenhydraten in der Schokolade, der auf indirektem Wege dafür sorgt, dass sich unsere Laune oft durch ihren Genuss verbessert.

Zudem bewirkt der Zucker in der Schokolade eine rasche Ausschüttung des blutzuckerregulierenden Hormons Insulin. Dieses wiederum regt die Bildung des Serotonins an. Insofern kann uns Schokolade – zumindest was die Verbesserung unserer Seelenlage betrifft – über das Fehlen eines Partners hinwegtrösten. Ein schwacher Trost, denn wie der Schlager schon sagt: „... ich will lieber einen Mann."

Gib dem Affen Zucker!

Wenn es um unsere Stimmungslage geht, dann tritt ein weiterer körpereigener Botenstoff in Aktion, der Informationen zwischen den Nervenzellen überträgt: der Neurotransmitter Dopamin. Zusammen mit dem Serotonin wird Dopamin im Stammhirn produziert und auf bestimmte Reize hin in verschiedene Hirnzentren ausgeschüttet. Im Körper wird Dopamin aus der Aminosäure Dopa gebildet und in bestimmten Nervenzellen so lange gespeichert, bis es den Befehl zur Freisetzung erhält. Eine besonders große Ansammlung solcher Dopaminspeicherzellen findet man in einer kleinen Region im Mittelhirn, die als Substantia nigra (= schwarze Substanz) bezeichnet wird. Dieser Gehirnabschnitt ist tatsächlich dunkel gefärbt, da sich hier neben Dopamin auch große Mengen an Melaninmolekülen befinden, die diesem Gehirnabschnitt seine schwarze Farbe geben. Melanin, das ebenfalls aus der Aminosäure Dopa gebildet wird, gibt auch unseren Haaren ihre Farbe und sorgt dafür, dass wir im Sommer schön braun werden.

Dopamin „beglückt" vor allem die Zentren im Gehirn, welche unser Verhalten, die Motivation und die Lernfähigkeit steuern. Zudem kontrolliert Dopamin unsere Feinbewegungen und bestimmt so unseren Gesichtsausdruck und die Art, wie wir uns bewegen. In der richtigen Dosis sorgt Dopamin für unseren seelisch-körperlichen Antrieb, es fördert unsere Konzentrations- und Reaktionsfähigkeit, wirkt angstlösend sowie motivierend und weckt Lustempfindungen. Und dies sind nur einige Eigenschaften dieses kleinen Alleskönners unter den Botenstoffen.

Lust, Wonne und Hochstimmung entspringen einem „Vergnügungsviertel" in der Tiefe des Gehirns. Dieser „Rotlichtbezirk" in unserem Gehirn besteht aus einem Nervenstrang, der sich von einem wichtigen Ballungszentrum im Mittelhirn über das Zwischenhirn bis zum limbischen System erstreckt. Wann immer wir eine angenehme Erfahrung machen, schütten die Nervenzellen des Gehirns Dopamin aus, das in diesen Gehirnabschnitten wie eine Glücksdroge wirkt. Eine Dopaminfreisetzung findet auch dann statt, wenn wir eine besondere Leistung vollbracht haben. Die Erhöhung der Dopaminkonzentration unter unserer Schädeldecke löst dann das Glücksgefühl aus, das wir nach einer vollbrachten „Meisterleistung" empfinden.

Diesem körpereigenen Belohnungssystem kam man erstmals durch Untersuchungen an Tieren auf die Schliche: Wann immer ein Tier eine angenehme Erfahrung macht, schütten die Nervenzellen im Gehirn vermehrt Dopamin aus und aktivieren so auch das „Lustzentrum" unter der Schädeldecke. Untersuchungen an Affen, die immerhin etwa 100 000 Dopaminzellen besitzen, bestätigten diesen Belohnungsmechanismus im Gehirn. Fanden die Versuchsaffen nach der richtigen Lösung einer gestellten Aufgabe als Belohnung hinter einem Schirm einen Apfel, so wurde verstärkt Dopamin ausgeschüttet. Fanden die Affen nur eine Schraube, die sie nicht als Belohnung interpretieren konnten, so blieben die Dopaminzellen stumm. War die Belohnung vorhersehbar, weil der Affe mit der Zeit den richtigen vom falschen Gegenstand unterscheiden konnte, gab es ebenfalls keine Ausschüttung von Dopamin. Der Spruch „Gib dem Affen Zucker" könnte im biochemischen Sinne also durchaus „Gib dem Affen Dopamin" lauten.

Weitere Tests zeigten, dass die Art der Belohnung im Gehirn gezielt registriert wird. Apfelsaft stimuliert andere Nervenzellen in der Großhirnrinde als der Verzehr einer Banane. Beim Menschen verhält es sich nicht anders: Versprach man freiwilligen Versuchspersonen für die richtige Lösung einer gestellten Aufgabe Geld, so konnte mithilfe des „leuchtenden Zuckers" bei PET-Untersuchungen nachgewiesen werden, dass gewisse Zentren in der frontalen Hirnrinde besser durchblutet wurden. Eine bessere Durchblutung zeigt, dass diese Gehirnregionen mehr Sauerstoff und Glukose verbrauchen, um besonders gut funktionieren zu können. Wurde eine richtige Antwort nur mit einem „Okay" bestätigt, waren die messbaren Gehirnfunktionen wesentlich geringer. Eine Ausschüttung von Dopamin löst somit ein „Belohnungsgefühl" im Gehirn aus – das Zuckerbrot für erfolgreich bestandene Aufgaben. Auch beim Menschen wird die Dopaminausschüttung also angekurbelt, wenn eine schwierige Aufgabe mit Bravour gelöst wurde. Dieses erhabene Glücksgefühl nach der Lösung eines Problems oder einer besonderen Leistung verdanken wir diesem kleinen Botenstoff im Gehirn.

Sex stimuliert die Dopaminfreisetzung aus den Nervenzellen. Die Gegenwart einer empfängnisbereiten Rättin lässt den Dopaminspiegel bei Männchen um fast das Doppelte emporschießen. Auch die Wirkung von Heroin und Kokain beruht letztendlich darauf, dass diese Drogen den Dopaminspiegel künstlich erhöhen und so das Belohnungssystem des Gehirns missbrauchen. Diese Rauschmittel blockieren die

„Dopaminpumpen" im Gehirn, diejenigen molekularen Mechanismen, die dafür sorgen, dass das Dopamin nach vollendeter Arbeit wieder in seine Speicherzellen zurücktransportiert wird, und erhöhen so die Konzentration dieses Botenstoffes. Als Folge hiervon wird ein Kokainkonsument euphorisch und besonders aktiv.

Zwei Gesichter

Wenden wir uns nun der Kehrseite des Glücks zu: Hat unser Oberstübchen eine unangenehme Situation realisiert, dann wird die Produktion von Serotonin und Dopamin gedrosselt. Als Folge hiervon fühlen wir uns noch schlechter als es uns aufgrund der Situation ohnehin schon geht. Die molekularen Boten nehmen nämlich leider keinerlei Rücksicht auf diese unangenehmen Begleiterscheinungen und erledigen ihre Aufgaben streng nach dem biologisch vorprogrammierten Plan.

Der Mensch hat etwa zehn Milligramm Serotonin im Körper. Diese Menge braucht er, damit es ihm gut geht. Eine Erhöhung der Serotoninmenge im Blut, sei es durch eine frohe Botschaft, ein schönes Erlebnis oder ganz einfach ein ausgiebiges Sonnenbad, führt zu einer serotoninbedingten Verbesserung unserer Stimmung. Wenn der Serotoninspiegel allerdings unter seinen Normalwert sinkt, dann kippt unsere Stimmung. Antriebslosigkeit, Schlafstörungen, Ängste oder Depressionen sind die Folge. Dies bekommen wir zum Beispiel im Winter zu spüren, da nun die lichtabhängige Serotoninproduktion gedrosselt wird und unsere Laune oft alles andere als sonnig ist. Hier kann ein Gang zur Sonnenbank wahre Wunder wirken, da das Serotonin auch durch künstliches UV-Licht aus der Reserve gelockt werden kann. Ärger und Stress leisten einen weiteren Beitrag zum Abbau von Serotonin, was dann ebenfalls auf unsere Stimmung drückt. Hier hilft es, einfach auszuspannen und dem Körper so etwas Zeit zu geben, die Serotoninproduktion wieder anzukurbeln.

Der weibliche Zyklus unterliegt starken hormonellen Schwankungen, die in erster Linie durch das Auf und Ab der weiblichen Sexualhormone bestimmt werden und unter anderem auch den Serotoninhaushalt beeinflussen. So sinkt der Serotoninspiegel im Körper der Frau nach dem Eisprung langsam ab, um kurz vor der Menstruation seinen zyklusabhängigen Tiefststand zu erreichen. Die Folge dieses Serotoninmangels kann das so genannte Prämenstruelle Syndrom (PMS) sein, das sich durch Stimmungsschwankungen, Schwermut oder auch Reizbarkeit bemerkbar machen kann. In dieser Zeit müssen sich dann manche Frauen die nervige Frage gefallen lassen: „Kriegst du wieder deine Tage?"

Dauerhafter Serotoninmangel kann zu ernsthaften Erkrankungen führen. Menschen mit einem permanent erniedrigten Serotoninspiegel leiden daher häufig unter starken Angstgefühlen. Diese veranlassen die Betroffenen, immer wieder bestimmte Handlungen zu wiederholen. Die Angst vor Bakterien führt beispielsweise zu dem Ritual, sich ständig die Hände zu waschen. Die ärztliche Diagnose in solchen Fällen lautet dann: Zwangsneurose. Serotoninmangel kann auch eine der Ursachen für eine Depression sein. Hier hilft oftmals nur die Einnahme von Medikamenten, die den Serotoninspiegel künstlich erhöhen.

Immer wieder wurden extrem niedrige Konzentrationen von Serotonin im Gehirn bei gleichzeitiger Erhöhung dieses Botenstoffes im Blut auch für besonders aggressives Verhalten verantwortlich gemacht. Wenn dies beim Menschen auch noch nicht eingehend untersucht ist, so konnte dieser Effekt zumindest bei Hummern nachgewiesen werden. So ruft die künstliche Verabreichung von Serotonin in die Blutbahn von Hummern die typische Gewinnerpose nach einem siegreich beendeten Kampf auch dann hervor, wenn überhaupt kein Kampf stattgefunden hat. Eine Serotoninspritze machte die Tiere auch angriffslustiger und mutiger im Kampf. So konnte ein schwaches Tier, welches im Kampf immer unterlegen war, mithilfe einer zusätzlichen Serotonindosis ein stärkeres Tier besiegen. Man könnte diese künstliche Erhöhung des Serotoninspiegels durchaus als „Hummerdoping" bezeichnen. Blockiert man hingegen die Freisetzung von Serotonin durch die Gabe eines Medikaments, so werden selbst die wildesten Hummer zu friedlichen Lämmern.

Aber nicht nur Serotoninmangel kann auf unsere Stimmung drücken, ein anderes Molekül treibt ebenfalls sein Unwesen in unserem Körper, wenn unsere Laune und vor allem unsere geistige Gesundheit nicht die Beste ist: das Dopamin.

Molekularer Grenzgänger

Es sind vor allem zwei geistige Erkrankungen, die ganz offensichtlich auf eine Fehlfunktion des Dopaminhaushalts zurückzuführen sind: Schizophrenie und die Parkinson-Erkrankung. Ist es bei der Schizophrenie ein Überschuss an Dopamin, so haben Parkinson-Patienten diejenigen Zellen verloren, die Dopamin produzieren. Bei diesen beiden völlig verschiedenen Krankheiten ist also ein und derselbe Botenstoff beteiligt: In einem Fall ist der Auslöser einer Erkrankung ein Zuwenig, in dem anderen ein Zuviel dieses Stoffes im Gehirn.

Bei Parkinson-Patienten sind viele der Dopamin produzierenden Zellen in der Substantia nigra – der „Dopamin-Hochburg" – abgestorben und das Gehirn kann daher nicht mehr ausreichend mit Dopamin versorgt werden. Die Folgen dieses Dopaminmangels zeigen sich in den Anzeichen dieser Erkrankung: ständiges Zittern und Schütteln der Betroffenen, weshalb dieses Leiden auch als Schüttellähmung bezeichnet wird. Dies ist darauf zurückzuführen, dass nun zu wenig der Substanz vorhanden ist, welche auch unsere Feinmotorik steuert. Der zeitlupenartige und schlurfende Gang von Parkinson-Patienten bis hin zu einer völligen Bewegungsunfähigkeit und regungslosen Gesichtszügen sind weitere Anzeichen dieser Dopaminmangelerkrankung.

Eine drastische Erhöhung der Dopaminkonzentration im Gehirn ist hingegen – zumindest zum Teil – die Ursache für eine Schizophrenie. Als schizophren bezeichnet man einen Menschen mit einer so genannten gespaltenen Persönlichkeit. Schizophrene Menschen hören zum Beispiel Stimmen, von denen sie beschimpft oder herumkommandiert werden, die sonst kein anderer hört. Bei schizophrenen Patienten ist eine bestimmte Gehirnregion besonders aktiv: die Hörrinde, in der Informationen von den Ohren verarbeitet werden. Offenbar wird dieser Teil des Gehirns bei Schizophrenen derart mit Dopamin überflutet, dass die Betroffenen nicht mehr zwischen Stimmen, die von außen kommen, und solchen, die im Kopf entstehen, unterscheiden können.

Bis zu einem gewissen Grad ist ein Überschuss an Dopamin durchaus förderlich, vor allem was unseren Ideenreichtum betrifft, denn Dopamin schärft unsere Wahrnehmung und fördert die künstlerische Kreativität. Dopamin ist gewissermaßen ein „molekularer Grenzgänger", der auch den Übergang zwischen Genie und Wahnsinn ermöglicht. Kokain, das die Dopaminauschüttung stimuliert, ist daher besonders bei Künstlern beliebt, die diese Droge zur Steigerung ihrer Kreativität einnehmen. Die schlagartige Ausschüttung dieses Botenstoffes verleiht regelrecht Flügel und vermittelt ein Gefühl der Unschlagbarkeit.

Trojanische Moleküle

Viele chemische Substanzen können nicht einfach aus dem Blutkreislauf ins Gehirn transportiert werden, da sie durch eine Art Schutzschicht – die so genannte Blut-Hirn-Schranke – an einem Übertritt gehindert werden. Wie ein Sieb filtert diese Barriere vor allem große und sperrige Moleküle aus und schützt so unser äußerst störanfälliges und sensibles Gehirn vor dem Eintritt schädlicher Substanzen, die zum Beispiel in der Nahrung oder in bestimmten Medikamenten enthalten sein können. Elementare „Gehirnnahrung" wie Traubenzucker kann diese Schutzschicht hingegen problemlos überwinden, denn nur so ist eine ausreichende Versorgung unseres Denkorgans mit der notwendigen Energie möglich.

Serotonin und Dopamin sind solche Verbindungen, die nicht über die Blutgefäße vom Körper ins Gehirn transportiert werden können. Sie werden im Stammhirn unter der Schädeldecke gebildet, können aber nicht über die Blutbahn ins Gehirn gelangen. Somit ist es nicht möglich, diese Verbindungen in Form eines Medikaments dem Gehirn künstlich zuzuführen, um einen Mangel dieser Botenstoffe auszugleichen. Möchte man die Konzentration von Serotonin im Gehirn durch äußere Einflussnahme erhöhen, muss man einen Umweg gehen: So hilft beispielsweise die Zufuhr von Tryptophan (also der chemischen Vorstufe von Serotonin), welches die natürliche Barriere zum Gehirn problemlos überwinden

> **Natürlicher Stimmungsheber**
>
> Die natürliche Heilpflanze Johanniskraut erhöht unter anderem auch die Konzentration an Serotonin im Körper. Johanniskraut blockiert das Enzym Monoaminooxidase (kurz: MAO), das diese Botenstoffe nach deren Freisetzung wieder abbaut. Durch die Hemmung dieses Abbaus bleibt die Konzentration dieser Botenstoffe erhöht und unsere Laune steigt deutlich.

kann. Im Gehirn eingetroffen, wird Tryptophan dann zu Serotonin umgewandelt und der Serotoninspiegel steigt – wenn auch künstlich. Die Konzentration von Serotonin lässt sich auch dadurch steigern, dass man ein Medikament verabreicht, das dafür sorgt, dass der Neurotransmitter nach seiner Freisetzung aus den Nervenzellen und Erfüllung seiner Aufgabe nicht mehr von den Zellen aufgenommen werden kann. Man blockiert sozusagen den Rückweg für den Botenstoff und erhöht damit automatisch die Konzentration an freien und somit wirksamen Molekülen. Nach genau diesem Prinzip wirken viele Medikamente zur Behandlung von Depressionen: Bestimmte antidepressiv wirkende Substanzen blockieren die Wiederaufnahme von Serotonin und erhöhen somit die freie Serotoninmenge im Gehirn mit dem Resultat, dass sich unsere (serotoninbedingte) Stimmung merklich bessert.

Dem Dopamin ergeht es nicht anders als dem Serotonin: Dopamin kann die natürliche Schutzbarriere im Kopf nicht überwinden. Will man Einfluss auf die Konzentration von Dopamin im Gehirn nehmen, muss man ebenfalls die Blut-Hirn-Schranke überlisten. Ein Beispiel für eine solche trickreiche „Schrankenüberlistung" ist die Behandlung der Parkinson-Erkrankung, die durch Zittern und Schütteln der Betroffenen aufgrund eines Mangels an Dopamin gekennzeichnet ist. Zur Behandlung von Dopamin-Mangelerkrankungen geht man daher einen anderen Weg: Eine biochemische Vorstufe des Dopamins ist die chemische Verbindung Levodopa, aus der unser Körper Dopamin herstellen kann (eine Tatsache, die man schon an der engen Wortverwandtschaft beider Verbindungen erkennen kann). Levodopa kann im Gegensatz zu Dopamin die Blut-Hirn-Schranke überwinden und somit auch ins Gehirn gelangen. Dort angekommen wird Levodopa schließlich zu Dopamin umgebaut und so der gewünschte Effekt, eine Erhöhung des Dopaminspiegels, erzielt. Man tarnt hierbei gewissermaßen den eigentlichen Wirkstoff und schleust ihn mithilfe eines „trojanischen Moleküls" ins Gehirn.

DIE SANDMÄNNCHENHORMONE

Schlaf ist für den ganzen Menschen,
was das Aufziehen für die Uhr.
(Arthur Schopenhauer, deutscher Philosoph)

Lichtschalter im Gehirn

Die Lebensquelle Licht beeinflusst neben der Serotoninkonzentration noch eine Reihe weiterer Botenstoffe, deren Konzentration durch Licht entweder angekurbelt oder gedrosselt wird. So setzt die nur erbsengroße Zirbeldrüse im Zwischenhirn in Abhängigkeit von der Lichtintensität auch ein Hormon frei, das uns müde und träge macht: das Melatonin. Das Schlafhormon Melatonin wird in der Zirbeldrüse aus dem Nervenbotenstoff Serotonin gebildet.

Melatonin mischt vor allem dann in unserem molekularen Gefühlshaushalt mit, wenn es darum geht, ob wir uns ausgeglichen oder eher schlapp und lustlos fühlen. Wenn es dunkel wird, dann gibt die Zirbeldrüse den Befehl zur Bildung von Melatonin, bei Helligkeit dagegen wird die Produktion dieses Hormons gedrosselt. Die Melatoninfreisetzung verhält sich somit genau umgekehrt zur lichtabhängigen Bildung von Serotonin, das bei Helligkeit verstärkt gebildet wird. Gesteuert wird die Melatoninproduktion durch eine Nervenbahn, die direkt mit dem Sehnerv verbunden ist. Je nachdem, ob Licht auf unsere Augen fällt oder nicht, schaltet dieser Nerv die Melatoninproduktion der Zirbeldrüse wie ein Lichtschalter ein oder aus. Nachts ist die Menge des Hormons im Blut zehnmal so hoch wie am Tage.

Das nachts gebildete Melatonin wird innerhalb weniger Stunden im Körper wieder abgebaut und ist somit tagsüber praktisch nicht mehr vorhanden. Während der lichtarmen Wintermonate erreicht die Melatoninkonzentration ihren jahreszeitlichen Höchstwert. Kein Wunder also, dass wir uns in dieser Jahreszeit besonders müde und schlapp fühlen. Diese tageszeitabhängige Melatoninproduktion bestimmt auch unseren Tag- und Nachtrhythmus. So schlafen wir im Winter länger und fühlen uns müder als in den hellen Sommermonaten. Bei manchen Tierarten gibt die winterliche Erhöhung der Melatoninkonzentration sogar den „Start-schuss" für einen mehrmonatigen Winterschlaf. Da Licht uns wach und fit macht, nutzt man dies bei der Behandlung von saisonalen Depressionen (also jahreszeit-abhängiger Niedergeschlagenheit) aus. Bei der so genannten Lichttherapie wird der Patient mithilfe einer „Lichtdusche" mit künstlichem Licht bestrahlt und auf diese Weise die Produktion von Melatonin gedrosselt. Als Folge hiervon wird die Win-termüdigkeit und die damit oftmals verbundene depressive Stimmung regelrecht „weggestrahlt". Ein Gang zum Solarium kann einen ähnlichen Effekt haben.

Im Gegensatz zu Serotonin, das bisher nicht künstlich hergestellt werden kann, lässt sich Melatonin direkt in Pillen- oder Spritzenform verabreichen und so der Melatoninspiegel künstlich in die Höhe treiben. Die Einnahme von synthetischem Melatonin macht uns – wie das körpereigene Melatonin – müde, wodurch dieses Hormon ein wirksames und vor allem gut verträgliches Schlafmittel ist. In den letz-ten Jahren wurden immer wieder neue Eigenschaften dieses Hormons entdeckt, die ihm den publikumswirksamen Namen „Wunderhormon" einbrachten. Im Ausland wird Melatonin seit mehreren Jahren als Nahrungsergänzungsmittel wie Vitamine oder Spurenelemente vertrieben. In Deutschland wurde Melatonin hingegen als Arzneimittel eingestuft. Da für Arzneimittel besonders strenge Zulassungskriterien gelten und eindeutige wissenschaftliche Belege für die tatsächliche Wirksamkeit von künstlich verabreichtem Melatonin noch ausstehen, hat Melatonin in Deutsch-land bisher noch keine Zulassung als Arzneimittel erhalten. In den Apotheken mancher Bundesländer ist es jedoch als so genanntes Importarzneimittel erhältlich.

Auch Blinde könnten möglicherweise von dem biologischen Schrittmacher Melatonin profitieren. 60 Prozent von ihnen leiden unter nächtlichen Schlafstörun-gen und Müdigkeit während des Tages, da die Lichtintensität von der Zirbeldrüse nicht registriert werden kann. Allerdings sind die Folgeerscheinungen nicht bei allen Blinden gleich: Manche haben einen inneren Rhythmus, der gegenüber dem-jenigen Gesunder um einige Stunden verschoben ist, bei anderen ist überhaupt keine Regelmäßigkeit mehr zu erkennen. Andere Blinde wiederum scheinen auch trotz ihres fehlenden Sehvermögens die natürlichen Lichtschwankungen zu registrieren und ihre tageszeitabhängigen Melatoninschwankungen sind somit völlig normal.

In der Kindheit hat das Melatonin seinen Höchstwert, der mit zunehmendem Alter stetig abnimmt. Bei 60- bis 70-Jährigen ist Melatonin schließlich nur noch in Spuren im Körper vorhanden. So ist es nicht ganz von der Hand zu weisen, dass eine Melatonineinnahme möglicherweise auch den Alterungsprozess aufhalten kann, sozusagen als hormoneller Jungbrunnen. Stimmt diese Theorie, dann sollte uns viel Schlaf (natürlich bei Dunkelheit) jung halten, denn bei einem langen Schlaf wird die Melatoninproduktion so richtig angekurbelt. Zwar fühlen wir uns danach etwas schlapp, aber unser Körper hat eine erhöhte Dosis des „Verjüngungshormons" erhalten. Wenn Sie also am nächsten Wochenende so richtig ausschlafen und sich fragen, warum Sie müder sind als in der Arbeitswoche, dann kennen Sie jetzt den hierfür verantwortlichen „Übeltäter". Aber vielleicht sind Sie ja dafür nicht so schnell gealtert.

Entspannung für die Nerven

Bisher haben wir nur Botenstoffe kennen gelernt, die nach ihrer Freisetzung die Weiterleitung eines elektrischen Reizes oder eine bestimmte körperliche Reaktion auslösen. Daneben gibt es aber auch Botenstoffe, die genau das Gegenteil bewirken: die Hemmung der Nachrichtenweiterleitung. Ein wichtiger hemmender Botenstoff tummelt sich in unserem Oberstübchen und hört auf den sehr chemischen Namen Gamma-Amino-Buttersäure, kurz GABA (das zweite A in der Kurzbezeichnung ist auf das englische Wort für Säure, Acid, zurückzuführen). Gamma-Amino-Buttersäure ist einer der wichtigsten Neurotransmitter im Gehirn und dort für die Unterdrückung der Weiterleitung von elektrischen Reizimpulsen zuständig. Dies mag zunächst verwunderlich klingen: Stellen Sie sich jedoch einmal vor, wie

> **Steckbrief – GABA**
>
> GABA ist ein Neurotransmitter im Gehirn, der die Reizweiterleitung über bestimmte Nervenbahnen hemmt und somit beruhigend und schlaffördernd wirkt. Die GABA-Konzentration im Gehirn kann durch folgende Faktoren beeinflusst werden:
>
> - Alkohol ↑
> - Schlafmittel ↑
> - Entspannung ↑

es wäre, wenn es einen solchen Mechanismus nicht gäbe. In bestimmten Situationen würde unser Gehirn vom Blitzgewitter aller eintreffenden Reize regelrecht erschlagen und somit in seiner Funktion als Steuerorgan völlig überfordert. GABA ist daher so etwas wie das Beruhigungsmittel für die Nervenzellen.

Geht es zu heftig ab in unserem Denkorgan, dann schiebt GABA dem bunten Treiben einen Riegel vor und bringt Ruhe und Entspannung in unser Gehirn. Auf etwa 40 Prozent der Schaltstellen in unserem Gehirn und Rückenmark wirkt GABA hemmend und ist somit der häufigste chemische Botenstoff im Gehirn. Zur Hemmung der Reizweiterleitung dockt das GABA-Molekül an bestimmten Übertragungsstellen der Nervenbahnen an und unterbricht dadurch die Weiterleitung eines Signals. Besonders viele dieser GABA-Andockstellen befinden sich im Klein- und Großhirn sowie im limbischen System, also unserem Zentrum für Gefühle und Lust. Durch eine vermehrte Ausschüttung von GABA werden wir auch müde und können besser einschlafen. Diesen GABA-Effekt macht man sich auch bei der Verwendung einiger Schlafmittel zu Nutze: Die Benzodiazepine beispielsweise, zu denen auch das Valium gehört, wirken wie eine Art Bremskraftverstärker im Gehirn, hemmen so die Reizweiterleitung zwischen den Nervenzellen an den GABA-Rezeptoren und entfalten durch die Unterbrechung der Nervenimpulsweiterleitung ihre beruhigende und schlaffördernde Wirkung.

Diese Medikamente wirken somit in ähnlicher Weise wie die körpereigenen Schlaf- und Beruhigungsmittel. Alkohol entfaltet seine Wirkung in gleicher Art und Weise: Die Alkoholmoleküle dämpfen ebenfalls die Weiterleitung von Reizen im Gehirn, indem sie an die GABA-Rezeptoren andocken. Hierdurch werden die Funktionen der betroffenen Nervenbahnen vorübergehend lahm gelegt.

1977 wurde im menschlichen Körper ein eigener Valium-Rezeptor entdeckt, der durch das Endovalium, ein „körpereigenes Valium", stimuliert wird. Der Name Endovalium setzt sich aus den Wörtern „Endo" = von innen zugeführt und „Valium" zusammen. Wie sein künstlicher Kollege namens Valium wirkt das Endovalium beruhigend. Auch hier hatte die Natur schon längst den passenden „Schlüssel zum Schloss", bevor der Mensch seinen eigenen künstlichen Schlüssel in Form eines Medikaments entwickelte.

Hemmt man die beruhigende Wirkung von GABA durch ein Medikament, dann hat dies verheerende Folgen: Ein Angstgefühl, begleitet von einer quälenden Unruhe bis hin zur Panik, macht sich breit. Der Puls schnellt in die Höhe, der Blutdruck steigt und alle Bewegungen beginnen zu erstarren. Im schlimmsten Fall führt dies zum Tod. Ursprünglich wurden solche „Panikpillen" entwickelt, um die Wirksamkeit von angstlösenden Medikamenten testen zu können. Man versetzte freiwillige Versuchspersonen so in einen künstlichen Angstzustand und untersuchte die Wirkung neuer Beruhigungsmittel. In Verruf gerieten diese künstlichen Angstmacher, als man damit begann sie in der militärischen Forschung zu testen, da diese Substanzen als Kampfstoffe eingesetzt werden könnten.

Das „Weckhormon"

Während Melatonin und GABA uns müde machen, gibt es ein anderes Hormon, welches zusammen mit Adrenalin dafür sorgt, dass wir morgens aus dem Bett kommen: das Dehydroepiandrosteron (kurz: DHEA). DHEA ist ein Steroid-Hormon, das wie die Stresshormone in den Nebennieren, aber auch im Gehirn und der Haut produziert wird. DHEA ist der Grundbaustein für viele andere Hormone, unter anderem auch für die Produktion von Testosteron (männliches Geschlechtshormon) und Östrogen (weibliches Geschlechtshormon) in unserem Körper verantwortlich. Aus diesem Grund wird es oft auch als die „Mutter der Hormone" bezeichnet.

DHEA wird vom Organismus vor allem morgens ausgeschüttet und macht uns wach, indem es die Produktion vieler Hormone ankurbelt. Es wird im Laufe des Tages verbraucht und verschwindet fast gänzlich, wenn abends die schlaffördernde Melatoninproduktion einsetzt. Wenn wir etwa sieben Jahre alt sind, wird das DHEA zum ersten Mal in die Blutbahn ausgeschüttet. Im Alter von 20 Jahren ist DHEA dann in unserem Körper im Überfluss vorhanden. Mit 80 Jahren produzieren wir jedoch nur noch 10 bis 20 Prozent dieser Substanz, wobei Frauen mehr DHEA erzeugen als Männer.

In den letzten Jahren ist das DHEA verstärkt als das „Wundermittel" in den Blickpunkt des medizinischen Interesses gerückt. Nicht zuletzt weil man glaubt, den Abbau dieses Hormons mit zunehmendem Alter und einen damit möglicherweise verbundenen Alterungsprozess durch die künstliche Gabe dieser Substanz aufhalten zu können. In vielen Ländern – allen voran in den USA – wird das DHEA daher schon länger in großem Umfang als Nahrungsergänzungsmittel vermarktet. Neben seinem „Jungbrunneneffekt" soll das DHEA eine wahre „Wunderwaffe" bei der Behandlung einer Vielzahl von Symptomen und Krankheiten sein. Die tägliche Einnahme von DHEA-Präparaten soll die Stimmung verbessern, die Aktivität und Sexualbereitschaft steigern, Stresshormonen entgegenwirken, das Immunsystem stärken und sogar das Krebs- und Herzkrankheitsrisiko verringern. Auch gegen Aids und Alzheimer soll DHEA wirksam sein. Ob das DHEA seinem Namen „Superhormon" tatsächlich gerecht wird, muss es jedoch zunächst in weiteren klinischen Untersuchungen unter Beweis stellen.

Ein Tag im Leben der Hormone

Wir haben gesehen, dass sowohl die Serotonin- als auch die Melatoninausschüttung direkt durch die Zirbeldrüse geregelt werden. Die Zirbeldrüse ist über den Sehnerv mit den Augen verbunden und erhält so ständig Informationen über die Lichtintensität unserer Umgebung. Basierend auf diesen Informationen steuert die Zirbeldrüse neben der Melatoninproduktion auch die Freisetzung vieler weiterer Hormone.

Bereits Ende des 18. Jahrhunderts finden sich in der medizinischen Literatur erste Hinweise auf solche zeit- bzw. lichtabhängigen Schwankungen von Körper- und Organfunktionen sowie der verschiedenen Hormone. Im Jahre 1814 prägte der französische Mediziner Julien-Joseph Virey den Begriff der „inneren Uhr" für die

Antriebskraft dieser Phänomene. Diese innere Uhr sorgt auch dafür, dass unser Organismus zu jeder Tages- und Nachtzeit alle Hormone in der richtigen Konzentration zur Verfügung hat und somit jederzeit ordnungsgemäß funktionieren kann. Ganz nach dem Slogan: „Zu jeder Zeit das richtige Hormon" sind wir so – aus biologischer Sicht – bestens auf die körperliche Bewältigung des Tages vorbereitet. Dies wollen wir uns einmal genauer anschauen, indem wir einen ganz normalen Tag aus der Sicht der Hormone betrachten.

7:00 Uhr: Der Wecker schrillt und reißt uns aus dem Schlaf. Bereits seit etwa sechs Uhr ist unser Körper mit den Vorbereitungen für den Start in den Tag beschäftigt: Durch die vermehrte Freisetzung von Adrenalin erhöht sich in den Morgenstunden der Herzschlag und unser Blutdruck steigt an. Beste Voraussetzungen zum gestärkten Verlassen der „warmen Federn".

8:00 Uhr: Die Nebennieren produzieren jetzt verstärkt körpereigenes Cortison, wodurch jetzt auch cortisolhaltige Medikamente besonders gut vom Körper angenommen werden. Zwischen 8:00 und 10:00 Uhr morgens ist dann der „geeignete" Zeitpunkt für die körperliche Liebe, da in diesem Zeitraum die Geschlechtshormone von Mann und Frau vermehrt ausgeschüttet werden.

10:00 Uhr: Der Adrenalinspiegel steigt, die Haut ist jetzt besonders gut durchblutet. Bis etwa 12:00 Uhr ist dann das Denk- und Sprechvermögen besonders stark ausgeprägt: Der ideale Zeitpunkt also, einen Vortrag zu halten oder knifflige Aufgaben zu lösen.

12:00 Uhr: Das uns allen vertraute Mittagstief kommt: Wir sind müde und die Körpertemperatur ist am höchsten. Wer Fieber hat, fühlt sich jetzt besonders matt. Da das Gehirn vermehrt Melatonin ausschüttet, wäre jetzt auch der richtige Zeitpunkt für ein Mittagsschläfchen gekommen.

13:00 Uhr: Steht ein Zahnarztbesuch an, so sollten Sie dafür den Zeitpunkt zwischen 13:00 und 15:00 Uhr wählen. In dieser Zeit ist unser Schmerzempfinden am geringsten. Ursache hierfür ist eine erhöhte Ausschüttung der körpereigenen „Schmerzkiller", der Endorphine, wodurch ein möglicher Schmerzreiz besonders gut „überlagert" wird. Wir sind jetzt um rund 30 Prozent weniger empfindlich gegen Schmerzen als zu anderen Tageszeiten.

16:00 Uhr: Die beste Zeit, um Sport zu treiben oder Vokabeln zu lernen. Der Körper beschleunigt nun die Atemfrequenz und das Herz kann bedeutend mehr Blut durch die Adern pumpen. Auch die Lungen arbeiten auf Hochtouren und bringen eine Menge Sauerstoff ins Blut.

19:00 Uhr: Jetzt macht sich Entspannung in unserem Körper breit. Blutdruck und Puls sinken, da das Adrenalin jetzt weniger stark ausgeschüttet wird. Wir sind nicht mehr so anfällig für Stress.

20:00 Uhr: Unsere Sinneswahrnehmungen sind zwischen 20:00 und 22:00 Uhr besonders stark ausgeprägt. Der ideale Zeitraum, um bei einem guten Glas Wein angenehme Musik zu genießen. Jetzt können die „Glückshormone" in aller Ruhe die Herrschaft über unseren Körper übernehmen.

22:00 Uhr: Die Produktion des Hormons Adrenalin, welches uns wach und aufmerksam hält, lässt nun verstärkt nach. Wir werden müde und finden hoffentlich einen gesunden und ruhigen Schlaf.

Bei den so genannten „Nachtmenschen" ist die oben beschriebene Tagesrhythmik der biologischen Funktionen um etwa zwei bis drei Stunden verschoben: Sie haben abends ein weiteres Leistungshoch, werden später müde und kommen in den frühen Morgenstunden nicht so gut aus dem Bett. Wenn Sie also Probleme mit dem morgendlichen Aufstehen haben, schieben Sie das getrost auf das „Nachgehen" ihrer inneren Uhr. Die Folgen des „Falschgehens" unseres körpereigenen Taktgebers kennen Fernreisende gut: Durch die Zeitverschiebung bei langen Flugreisen stimmt die Zeit unserer inneren Uhr nicht mehr mit der Vor-Ort-Zeit überein. Man fühlt sich müde und abgespannt und benötigt geraume Zeit, bis der Jetlag überwunden ist. Auch Schichtarbeiter haben mit diesem Problem zu kämpfen: Durch den steten Wechsel von Tag- und Nachtschicht wird die biologische Uhr immer wieder aufs Neue verwirrt, was zu einem Abfall des Energie- und Leistungsniveaus führen kann. Hier kann die so genannte Lichttherapie Abhilfe schaffen: Durch die Bestrahlung mit Licht kann die körpereigene Rhythmik auf die gewünschte Tageszeit „verschoben" und die Symptome können somit beseitigt werden. Die innere Uhr wird dadurch gewissermaßen wieder auf die richtige Zeit eingestellt.

AMORS CHEMISCHE PFEILE

Die Liebe ist nichts anderes
als ein Boogie-Woogie
der Hormone.
(Henry Miller,
US-amerikanischer
Dramatiker und Maler)

Das schönste der Gefühle

„Was ist Liebe?" Stellt man diese Frage zehn verschiedenen Menschen, so erhält man höchstwahrscheinlich zehn völlig verschiedene Antworten: „Geborgenheit, Nähe, Vertrauen, Zärtlichkeit" sind nur einige Beispiele möglicher Antworten auf diese uns alle bewegende Frage.

Die Liebe – Thema unzähliger Bücher, Filme und Theaterstücke und von vielen Menschen als das schönste der Gefühle bezeichnet. Doch warum verlieben wir uns? Und warum ist gerade dieses Gefühl für uns so bedeutsam, dass wir oft glauben, ohne Liebe nicht leben zu können? „Warum mag ich den Geruch, die Stimme, das Aussehen eines bestimmten Menschen, ein anderer lässt mich jedoch völlig kalt?" Wie oft haben wir uns diese Frage bereits gestellt?

Eins steht fest: Auf die Frage, was Liebe nun wirklich ist, gibt es keine klare Antwort – auch nicht aus wissenschaftlicher Sicht. Dennoch weiß man heute, dass auch bei diesem Gefühl molekulare Boten eine tragende Rolle spielen und ihr Unwesen in unserem Körper treiben, wenn es uns erwischt hat. Kleine Moleküle sind es, denen wir die körperlichen Empfindungen verdanken, die mit diesem Gefühl so eng verknüpft sind. Wenn das Feuer der Liebe in uns entbrannt ist, dann lassen die Botenstoffe die „Schmetterlinge in unseren Bauch flattern", unser „Herz höher schlagen" oder machen uns regelrecht „blind vor Liebe". Wie diese „molekularen Liebesboten" heißen und was sie so in unserem Körper alles anstellen wollen wir uns in den nachfolgenden Kapiteln einmal näher anschauen.

Liebe auf den ersten Blick

Am Anfang steht der Blick. Die Signale von den Augen sind oft die ersten Informationen, die in unserem Gehirn eintreffen und eine Reaktion in unserem Oberstübchen auslösen. Bevor wir einen möglichen Partner hören, riechen, fühlen oder gar schmecken, haben die Augen bereits „Meldung" gemacht.

Mehr als 125 Millionen Photorezeptoren in der Netzhaut haben die optischen Reize zur Großhirnrinde, dem Sitz des Bewusstseins, weitergeleitet. Während wir uns noch an der sympathischen Ausstrahlung eines Menschen ergötzen, läuft unser Oberstübchen bereits auf Hochtouren. Gleichzeitig mit dem Erkennen des Bildes im Kopf findet auch eine erste emotionale Bewertung des Erblickten statt: Hat er einen Bart? Hat sie lackierte Fingernägel oder schlechte Zähne? In Sekundenschnelle nehmen wir alle diese Merkmale auf und vergleichen sie mit unserer gespeicherten Erfahrung: Ein Ex-Freund hatte einen Bart, der beim Küssen fürchterlich kratzte, die unbeliebte Französischlehrerin hatte lackierte Fingernägel – „Pech gehabt, Aus in der ersten Runde!", lautet dann die Meldung aus unserer oberen Gefühlszentrale.

Löst der Anblick des potenziellen Partners jedoch angenehme Erinnerungen aus oder, anders ausgedrückt, verlief der Erlebnisspeicherabgleich unseres Gehirns positiv, dann gibt der Hypothalamus auf der unteren Seite des Gehirns als Erstes den Nebennieren den Startschuss zur Produktion von Adrenalin. Was nun in unserem Körper geschieht, unterscheidet sich in nichts von den Körperreaktionen in einer Stresssituation: Der Puls beginnt zu rasen, uns wird heiß und wir fangen an zu schwitzen. Wenn unsere Hände jetzt beim Halten des Weinglases zu zittern beginnen, dann hat das Adrenalin von uns Besitz ergriffen. Zehnmal mehr Adrenalin als sonst gelangt ins Blut und macht uns regelrecht „blind vor Liebe", denn die Adrenalinausschüttung beeinflusst auch unsere Wahrnehmungen. Nun wirken selbst mittelprächtige Menschen plötzlich attraktiv, dank des Gipfelsturms der Emotionen in unserem Gehirn.

Wenn es um die angenehmen Gefühle des Verliebtseins geht, dann tritt ein weiterer körpereigener Botenstoff auf den Plan: das Phenylethylamin, kurz: PEA, ist eine körpereigene Substanz, welche die schönen Gefühle des Verliebtseins vermittelt und uns den Besuch des „Siebten Himmels" ermöglicht. Zwar weiß man bis heute nicht, wie ein bestimmter Anblick die Ausschüttung dieses Hormons auslöst, dennoch ist die PEA-Konzentration im Blut von Verliebten stark erhöht. Und wir alle wissen, wie es sich anfühlt, wenn dieses kleine Molekül seine Wirkung entfaltet: Ein wohliger Schauer läuft durch unseren Körper und die „Schmetterlinge" führen einen Freudentanz im Bauch auf. Es muss sich natürlich keinesfalls immer nur um einen Menschen handeln, dessen Anblick unser Herz erfreut: Auch die Betrachtung eines ästhetischen Bildes oder eines bezaubernden Landschaftspanoramas kann den PEA-Spiegel in die Höhe treiben.

PEA ist ähnlich aufgebaut wie der körpereigene „Stressmacher" Adrenalin, steigert wie dieser die Pulsfrequenz und erhöht den Blutdruck und den Blutzuckerspiegel. Wenn wir etwas Schönes erblicken, dann sind wir augenblicklich wach und besonders aufmerksam. Die besten körperlichen Voraussetzungen also für den bevorstehenden Flirt. Das „Liebesmolekül" PEA ähnelt in seiner chemischen Struktur auch einigen medikamentösen Appetitzüglern, was erklären könnte, warum wir keinen Hunger verspüren, wenn wir frisch verliebt sind.

Einige Wissenschaftler vermuten, dass das PEA auch eine entscheidende Rolle bei den Empfindungen des Liebeskummers spielt. Nach einer Trennung kommt es zu einem jähen Abfall des „Liebesmoleküls" PEA im Blut. Der „Liebeskick" verschwindet und wir verspüren regelrechte Entzugserscheinungen durch den körperlichen Mangel an PEA.

Ein bewährtes Mittel, den PEA-Spiegel im Blut in die Höhe zu treiben, ist die Lektüre von Liebesromanen. Die romantischen Szenen spielen sich beim Lesen vor unserem geistigen Auge ab und wir sehen den beschriebenen, leidenschaftlichen Kuss der Verliebten förmlich vor uns. Allein dadurch wird die körpereigene PEA-

Produktion, wenn auch künstlich, angekurbelt. Erotische Filme, Pornographie, aber auch ein Striptease können ebensolche Reaktionen auslösen.

Geringe Mengen an PEA sind auch in Schokolade enthalten. Diätcola und manche Speisen enthalten den Süßstoff Nutrasweet, der im Körper zu PEA umgebaut wird, und führen so ebenfalls zu einer Erhöhung von PEA im Blut. Ob diese viel zitierten Liebesersatzmittel tatsächlich Liebeskummer lindern können, ist aber sehr fraglich, denn PEA wird nach der Aufnahme bereits im Magen und Darm abgebaut und gelangt somit nicht in die „Glückszentrale" des Gehirns. Die beste Medizin gegen Liebeskummer ist und bleibt daher: eine neue Liebe.

Das Geheimnis in unseren Augen

„Ich schau dir in die Augen, Kleines!" Dieser zum Kultsatz avancierte Ausspruch der deutschen Synchronstimme Humphrey Bogarts im Film *Casablanca* ist gar nicht so ohne Sinn, wenn es uns interessiert, wie groß das Interesse eines Menschen an uns ist. Wusste Humphrey Bogart etwa, dass er in den Augen von Ingrid Bergmann erkennen kann, was sie tatsächlich für ihn empfindet? Das verräterische Geheimnis der Augen, wenn es um Sympathie oder Erregung geht, sind unsere Pupillen, oder genauer gesagt, deren Größe. Nicht ohne Grund wird die Pupille als „Spiegel der Seele" bezeichnet und wir glauben, in den Augen eines Menschen „lesen" zu können. Die Größe unserer Pupillen wird durch zwei verschiedene Muskeln gesteuert, die dafür sorgen, dass sich unsere Pupillen, je nach Erfordernis erweitern oder verengen. Wenn es dunkel ist, muss die Pupille mehr Licht durchlassen, damit wir noch etwas sehen können. Hierzu weiten sich die Pupillen. Ist es hingegen sehr hell, so verengen sich unsere Pupillen, um die hohe Lichtintensität für unser Auge zu mindern (Sie können dies sehr einfach überprüfen, indem Sie sich im Badezimmer vor den Spiegel stellen und die Veränderung Ihrer Pupillengröße beobachten, wenn Sie das Licht an- und ausschalten).

Was aber hat die Pupillengröße mit optischen Reizen zu tun? Die Eng- oder Weitstellung der Pupillen wird – unabhängig von der Lichtintensität – auch von unserer jeweiligen Gefühlslage bestimmt. Hierbei unterscheiden sich die Körperreaktionen bei einer plötzlich auftretenden Gefahrensituation in keiner Weise von den Empfindungen, die wir beim Anblick eines attraktiven Menschen erleben (bei beiden Situationen handelt es sich schließlich um Erregungszustände, wenn auch die jeweilige Ursache eine andere ist).

Wie wir gesehen haben, ist in einer brenzligen Situationen eine Weitstellung der Pupillen durchaus angebracht, da wir dadurch besser sehen und somit der drohenden Gefahr besser ins Auge blicken können. Bei emotionaler und sexueller Erregung sind unsere Pupillen ebenfalls vergrößert, da uns nun der sympathische Teil unseres autonomen Nervensystems auf eine gesteigerte körperliche und geistige Aktivität umstellt. So wurden die Pupillen von Versuchspersonen, denen man erotische Fotografien zeigte, beim Anblick der „nackten Tatsachen" deutlich größer. Ein weiblicher Striptease löste im Rahmen einer wissenschaftlichen Untersuchung bei männlichen „Testvoyeuren" eine durchschnittliche Pupillenerweiterung um immerhin sieben Prozent aus.

Umgekehrt beeinflusst die Pupillengröße eines Menschen auch seine Attraktivität. So beurteilten heterosexuelle Frauen und Männer Bilder des anderen Geschlechts in einer Untersuchung als besonders anziehend, wenn auf den Abbildungen Menschen mit weiten Pupillen zu sehen waren. Personen mit kleinen Pupillen wurden hingegen als weniger attraktiv empfunden. Dies ist gar nicht so schlecht: Wenn wir Interesse an einem Menschen haben, dann weiten sich unsere Pupillen, was uns für unsere Mitmenschen wiederum optisch ansprechender erscheinen lässt. Wenn Sie also wissen möchten, wie Ihre Liebeschancen stehen, dann schauen Sie ruhig einmal à la Humphrey Bogart tief in die Augen Ihres Gegenübers. Sie müssen jetzt nur noch herausfinden, ob die Pupillen vor Angst oder aber aus Sympathie geweitet sind. So ganz einfach ist es also doch nicht mit dem Pupillentest in Sachen Wohlgefallen und Ausstrahlung.

Der besondere Reiz von Menschen mit großen Pupillen ist schon lange bekannt. Substanzen, welche die Pupillen vergrößern, erfreuten sich lange Zeit besonderer Beliebtheit und wurden eingesetzt, um die eigene Attraktivität zu steigern. So träufelten sich die italienischen Frauen im vorigen Jahrhundert den Extrakt der Tollkirsche in die Augen. Diese Frucht enthält eine Substanz namens Atropin, die eine Erweiterung der Pupillen auslöst.

Heute werden pupillenerweiternde Substanzen vor allem in der Augenheil-kunde für die Untersuchung des Augenhintergrunds verwendet, die nur bei einer Weitstellung der Pupillen möglich ist. Seien Sie also nicht verärgert, wenn Ihre Pu-pillen nach dem Besuch beim Augenarzt eine Zeit lang geweitet sind; denken Sie an Ihre besonders attraktive Wirkung, die Sie jetzt auf Ihre Mitmenschen haben.

Liebe geht durch die Nase

Liebe geht nicht nur durch den Magen, sondern auch durch die Nase. Der Aus-spruch „Ich kann ihn nicht riechen" beschreibt ziemlich deutlich, welchen Einfluss unser Geruchssinn auf unsere Emotionen haben kann.

Männer riechen anders als Frauen: Mit dem männlichen Schweiß werden männ-liche Geschlechtshormone – allesamt chemische Abkömmlinge des „männlichen" Geschlechtshormons Testosteron – wie das moschusartig duftende Androstenon oder das eher nach Urin riechende Androstenol ausgeschieden.

Da Männerschweiß etwa sechsmal so viel Testosteronverbindungen wie Frau-enschweiß enthält, riechen Männer oft etwas strenger als Frauen. Doch Frauen empfinden den stechend-schweißigen Geruch der männlichen Achselhöhle nicht immer gleich. Sind sie kurz vor ihrem Eisprung, ändert sich die Empfänglichkeit für den sonst eher abstoßenden Androstenongeruch und die gleiche Menge in der Luft wird als weniger unangenehm empfunden. Während des besten Zeitpunkts für eine Befruchtung ist die Frauennase nicht so anspruchsvoll. Fehlen die männlichen Ausdünstungen in der Umgebung einer Frau, wie beispielsweise in Mädcheninternaten oder Klöstern, haben die Frauen ihre erste Menstruation später und seltener einen Eisprung.

Frauen strömen hingegen über die Vagina so genannte Kopuline, einen Geruchscocktail aus verschiedenen Fettsäuren aus, welche ebenfalls beim anderen Geschlecht bestimmte biochemische Reaktionen auslösen: In einem Zimmer mit vielen leeren Stühlen setzten sich nahezu alle Männer auf denjenigen, unter dem vorher ein benutzter Tampon befestigt worden war.

Andere Experimente zeigten, dass Männer, die Kopuline einatmen, vermehrt Testosteron ausschütten, jenes Hormon, das beim Mann wie auch bei der Frau für Lust und Leidenschaft sorgt. Die weiblichen Kopulin-Ausdünstungen werden von Männern besonders an den empfänglichen Tagen einer Frau, also während des Eisprungs, als angenehm empfunden. Ein zusätzlicher Kick für die Lust auf Sex an diesen Tagen. Unsere unterschiedliche Empfindsamkeit für menschliche Körpergerüche schafft somit die besten Voraussetzungen für eine Schwangerschaft.

Wenn wir den Geruch eines Menschen als unangenehm empfinden, dann muss das jedoch noch lange nicht bedeuten, dass dieser Mensch tatsächlich schlecht riecht. Geht es nämlich um die „nasentechnische" Frage, welcher Partner zu uns passt, so erschnüffeln wir dies eher unbewusst. Geht es um unsere Sympathievergabe durch die Nase, dann spielt ein weiterer Sinn eine bedeutende Rolle, der ebenfalls in der Nase sitzt und von dem man lange Zeit glaubte, dass er nur bei Tieren existiert: das so genannte Vomero-Nasal-Organ, kurz: VNO.

Es ist schon lange bekannt, dass dieser sechste Sinn bei Insekten, Mäusen, Hamstern, Ratten und einigen Säugetieren eine wichtige Funktion bei der Kommunikation und der Partnerwahl spielt. So genannte Pheromone – „fliegende" Sexuallockstoffe – werden von diesen Tieren ausgeschieden und von ihren Artgenossen mithilfe des VNO wahrgenommen. So reichen nur wenige Milligramm des Sexuallockstoffes eines paarungswilligen Seidenspinnerweibchens aus, um die Schmetterlingsmännchen über weite Entfernungen hinweg scharenweise anzulocken.

Der Sexuallockstoff Androstenon – ebenfalls ein Pheromon – macht Säue zu gierigen Trüffelsucherinnen. Es ist nämlich nicht die Lust auf den Verzehr des begehrten Leckerbissens, welcher die Trüffelschweine zur eifrigen Suche antreibt, sondern die Hoffnung, einen paarungswilligen Eber zu finden, denn Trüffel enthalten eine sehr hohe Konzentration an Androstenonen. Der Androstenongehalt von Trüffeln ist auch der Grund, weshalb die Menschen Trüffel schon seit langer Zeit als Delikatesse und sexuell stimulierendes Mittel schätzen, ebenso wie Sellerie, der auch Spuren von Androstenon enthält.

1963 entdeckte der US-Forscher David Berliner die menschlichen Pheromone, die ebenfalls durch das VNO aufgenommen werden. Das menschliche VNO ist rund tausendmal empfindlicher als unser Geruchssinn und ähnlich leistungsfähig wie das einer Katze oder eines Hundes. Das etwa 0,2 bis 2 Millimeter große VNO sitzt bei uns ebenfalls in der Nase, und zwar in der Nasenscheidewand unten auf dem Boden der Nase. Das VNO ist eng mit dem Hypothalamus verbunden, wodurch seine Signale auf dem direkten Wege in das Gefühlszentrum unseres Gehirns gelangen. Wir sondern die Pheromone mit dem Schweiß aus, vor allem in der Achselgegend. Die Reichweite der menschlichen Pheromone ist mit nur wenigen Zentimetern sehr gering. Daher nehmen wir sie vor allem dann wahr, wenn wir einem Menschen sehr nahe kommen. Dieser „sechste Sinn" wird beim Menschen durch Gerüche aktiviert, die von den Sinneszellen in der Nasenschleimhaut nicht erfasst werden können. So riechen wir den duftenden Frühstückskaffee mit unserer Nase, den ganz speziellen Geruch eines anderen Menschen nehmen wir hingegen mit unserem VNO wahr.

„Ich kann dich nicht riechen!"

Frauen können das männliche Duftbukett mithilfe dieses sechsten Sinnes unbewusst „erschnüffeln", was durch einen wissenschaftlichen „Sprühtest" eindrucksvoll gezeigt werden konnte: Im Wartezimmer einer Frauenarztpraxis besprühte man einige Stühle mit Androstenon, das man aus dem Achselschweiß von Männern gewonnen hatte, und siehe da: Die Frauen bevorzugten die „nach Mann" riechenden Stühle, obwohl viele den Geruch gar nicht bewusst wahrgenommen hatten. Der männliche Geruch stimulierte das Vomero-Nasal-Organ der Frauen und signalisierte an das Gehirn, dass hier ein männlicher Artgenosse gesessen hatte.

Geruchvolle Küsse
Eine weitere pheromonreiche Körperregion ist der Ort zwischen den Nasenflügeln und unserem Mund, die Stelle also, der wir beim Küssen mit unserer Nase besonders nahe kommen. Der Kuss wird somit auch „nasentechnisch" zu einem angenehmen und elektrisierenden Erlebnis.

Doch wir können noch viel mehr als nur die Gegenwart des anderen Geschlechts mithilfe unseres Geruchsinnes erkennen. Auf der Oberfläche sämtlicher Zellen in unserem Körper befindet sich eine bestimmte Sorte von Molekülen, die wie Fähnchen auf den Zellen sitzen und unserem Immunsystem die Unterscheidung zwischen Freund und Feind – körpereigenen und körperfremden Substanzen – möglich machen. Diese kleinen Oberflächenmoleküle sind eine Art Pass unserer Körperzellen, die sie als rechtmäßige Mitglieder unseres eigenen Organismus ausweisen. Schleicht sich nun beispielsweise ein körperfremdes Bakterium (also eine Zelle mit einem falschen Pass) in unseren Organismus ein, so wird der Eindringling von unserer Immunabwehr als Fremdling erkannt und kann so in aller Regel vernichtet werden. Wäre diese Unterscheidung nicht möglich, so würde unser Immunsystem blindlings auch die körpereigenen Zellen angreifen (dies geschieht tatsächlich bei den so genannten Autoimmunerkrankungen wie Rheuma oder multiple Sklerose, bei denen die Abwehrzellen eigene Körperzellen attackieren).

Die molekularen „Erkennungsfähnchen" an der Oberfläche der Zellen werden regelmäßig erneuert, die ausgedienten Moleküle in kleine Stücke zerlegt und so abgebaut. Diese Bruchstücke werden schließlich über den Schweiß und den Urin ausgeschieden. Mit dem Schweißgeruch gelangen sie so in unsere Nase beziehungsweise zum VNO. Die Empfindungen, die durch diese molekularen Bruchstücke bei uns – wenn auch unbewusst – ausgelöst werden, geben uns einen Hinweis auf den Verwandtschaftsgrad zwischen uns und dem erschnüffelten Menschen.

Eine Untersuchung mit Frauen, die man an von Männern getragenen T-Shirts schnuppern ließ, bestätigte dies: Die Frauen empfanden den Geruch von T-Shirts besonders anziehend, wenn deren Besitzer in einem gewissen Umfang andere Erbanlagen als sie selbst hatten. Das Liebe auch durch die Nase geht, konnte durch eine anschließende Gen-Analyse der „Spürnasen" und der T-Shirt-Träger zu Tage gebracht werden. Dies ist nicht weiter verwunderlich, wenn man bedenkt, dass der

Nachwuchs durch die Vermischung unterschiedlicher Erbanlagen der Eltern eine bessere Immunabwehr hat und dadurch besonders widerstandsfähig ist. Hingegen sind Kinder von miteinander verwandten Partnern nicht selten geistig und körperlich behindert. Sind die Erbanlagen zwischen Frau und Mann dagegen extrem unterschiedlich, dann versagt oftmals die „nasentechnische" Sympathievergabe – ein zu großer genetischer Unterschied ist dann zumindest für die „Liebe auf den ersten Geruch" eher hinderlich.

Die unbewusste Sympathievergabe durch die Nase sieht auch anders aus, wenn Frauen die Pille als Verhütungsmittel einnehmen: Lässt man diese nun an getragenen, männlichen Kleidungsstücken schnuppern, so schneiden Männer mit einem ähnlichen genetischen Code (also einem höheren Verwandtschaftsgrad) in Sachen „Geruchstest" besser ab. Auch dies lässt sich leicht erklären: Eine schwangere Frau (einen Zustand, den die Pille ja simuliert) bevorzugt einen enger verwandten Partner, da bei ihr nun der Familiengedanke im Vordergrund steht. Denn ein Verwandter bleibt eher bei den Nachkommen als ein (genetisch) völlig fremder Mann. Wenn sich Nachwuchs angesagt hat, kann es dem werdenden Vater somit durchaus passieren, dass seine schwangere Frau seinen Körpergeruch auf einmal als eher unangenehm empfindet. Aber das wird sich nach der Geburt zum Glück wieder ändern.

Zärtliche Streicheleinheiten

Berührungen sind der Schlüssel zur Zärtlichkeit und die wichtigste Ausdrucksform menschlicher Zuneigung. Wir geben uns die Hand zur Begrüßung, nehmen Freunde in den Arm und streicheln die Menschen, die wir lieben. Die durch diese Berührungen ausgelösten Empfindungen werden über unser größtes Sinnesorgan vermittelt: die Haut. Neben ihrer Funktion als lebenswichtiges Schutzorgan ist die Haut auch eine „direkte Leitung" zu unserer innersten Gefühlswelt. Viele Gemütszustände lassen sich direkt von der Haut „ablesen". So verfärbt sich unsere Haut rot, wenn wir verlegen sind, oder sie wird blass, wenn wir erschrocken oder wütend sind. Auf einem Quadratzentimeter Haut befinden sich neben mehreren Millionen Hautzellen etwa 3000 Sinneszellen, über die wir Berührungsreize aufnehmen.

Streicheleinheit

Ein besonders angenehmes Gefühl stellt sich ein, wenn wir mit einer Häufigkeit von etwa 40-mal pro Minute gestreichelt werden. Bei dieser „Streicheleinheit" werden besonders viele Hormone wachgekitzelt und versetzen uns so in einen wahren Glückszustand.

Werden wir zärtlich gestreichelt, so wird die Sinnesmeldung „Berührung" von den Rezeptoren der Haut zunächst zum Thalamus geleitet. Dieser erkennt nun, dass es sich bei dem eintreffenden Reiz um alles andere als eine lebensbedrohliche Situation handelt, und leitet diese Information an die Zentren im Gehirn weiter, die für die Bearbeitung von Berührungsreizen verantwortlich sind. Die Nervenzellen des Gehirns, die für die Erfassung von Tastreizen verantwortlich sind, analysieren den Reiz und erkennen, dass es sich um „Streicheleinheiten" handelt, die uns da gerade erfreuen. Eventuell wird noch bei anderen Reizbearbeitungsplätzen nachgefragt, welche Meldungen in Zusammenhang mit diesem Erlebnis stehen, und so kommt vielleicht noch die Information von den Augen, dass es sich bei dem „Streichler" um unseren geliebten Partner handelt. Diese Informationen werden nun zum Mandelkern gesendet, der diesem „Informationspaket" noch Gefühle wie Zufriedenheit und Geborgenheit beimischt. Dieses Gefühl meldet der Mandelkern auch dem Hypothalamus, der den Körper nun durch die Aussendung von chemischen Botenstoffen auf dieses Gefühl einstellt. Ein Glücksgefühl durchströmt unseren Körper und wir fühlen uns rundum pudelwohl.

Ein Faktor, der unsere Hautsensibilität beeinflusst, sind die Hormone. Nimmt deren Konzentration mit zunehmendem Alter ab, so sinkt auch unsere Empfindlichkeit für Berührungen. Dennoch können auch im hohen Alter regelmäßige Streicheleinheiten wie Medizin wirken und unsere Gesundheit positiv beeinflussen.

Die Haut ist auch das erste Sinnesorgan, mit dem wir unsere Umwelt wahrnehmen. Daher ist gerade für Säuglinge regelmäßiger Hautkontakt lebenswichtig. Ein Beispiel aus der Geschichte verdeutlicht dies sehr dramatisch: Kaiser Friedrich II. befahl im 13. Jahrhundert, dass einige Kinder von ihren Ammen nur gereinigt und gefüttert werden, aber darüber hinaus keine körperliche Zuwendung erfahren sollten. Nach der Überlieferung hat keines der Kinder dieses Experiment überlebt. Neuere Studien mit Frühgeborenen konnten mit etwas freundlicheren Methoden belegen, wie wichtig körperliche Nähe für Kleinkinder ist: So zeigen Säuglinge, die einen intensiven Kontakt zur Haut der Mutter oder des Vaters hatten, eine ruhigere Atmung und einen langsameren Herzschlag.

Die heilende Kraft der Berührung ist mittlerweile durch eine Vielzahl klinischer Untersuchungen belegt: Alzheimer-Patienten, die täglich Streicheleinheiten erhielten, wurden ruhiger und weniger vergesslich. Nach Gebärmutteroperationen brauchten die Frauen weniger Schmerzmittel, wenn sie täglich 45 Minuten massiert wurden. Versuchspersonen konnten nach einer 15-minütigen Rückenmassage besser mathematische Aufgaben lösen und HIV-Positive hatten in Amerika nach vier Wochen Massage mehr Abwehrzellen und weniger Stresshormone im Blut.

Was den Körperkontakt betrifft, sind die Amerikaner eher zurückhaltend: US-Paare fassen sich in einem Café nur etwa zweimal pro Stunde an. Da sind die Pariser schon viel kontaktfreudiger: Sie berühren sich ungefähr 110-mal in der Stunde. Unschlagbar sind jedoch die Bewohner der Karibik: Sie bringen es auf 180 Berührungen in einer Stunde. Für Deutsche gibt es hierfür keine Zahlen.

Nach zärtlichen Berührungen unserer Haut können wir geradezu süchtig werden. Sind wir verliebt, dann treibt es uns immer wieder in die Arme des Menschen, der unser Herz erobert hat, und wir würden diesen am liebsten nie mehr loslassen. Jeder Körperkontakt und jede Streicheleinheit versetzt uns geradezu in einen sinnlichen Rausch, verbunden mit einem absoluten Glücksgefühl. Bei einer längeren Trennung empfinden wir regelrechte Entzugserscheinungen und unser Körper wünscht sich nichts mehr, als wieder einen Glückszustand erleben zu dürfen. Durch die zärtliche Berührung werden bestimmte chemische Botenstoffe „wachgekitzelt" und durchströmen nun unseren ganzen Körper. Sie vermitteln uns das Gefühl von Glück und Zufriedenheit und versetzen uns manchmal sogar in eine wahre Hochstimmung.

Das „Kuschelhormon"

Für das sinnliche Wohlbefinden bei zärtlichen Berührungen ist ein Hormon verantwortlich: Oxytocin. Oxytocin ist der kleinste Vertreter in der Familie der Hormone und dennoch ein wahrer Tausendsassa, wenn es um unsere Gefühlswelt vor

---

Steckbrief - Oxytocin

Das „Kuschel- und Treuehormon" Oxytocin unterstützt bei der Geburt die Wehen und regt die Milchproduktion der Mutter nach der Geburt an. Es sorgt zudem für die Lust auf Zärtlichkeit, Nähe sowie Geborgenheit und wirkt sexuell stimulierend. Die Oxytocinkonzentration im Körper wird beeinflusst durch:

• Berührungen ↑
• Orgasmus ↑
• Geburt ↑
• Stillen ↑
• Berührungsmangel ↓
• Alkohol ↓

---

allem bei Zärtlichkeit und der Sexualität geht. Berührungsreize der Haut laufen über Nervenbahnen des Rückenmarks zunächst zum Thalamus, dem Platzanweiser in unserem Gehirn. Von dort aus werden die Tastinformationen zu ihrem Bearbeitungsplatz in der Großhirnrinde, aber auch zum Hypothalamus, der Hormonsteuerzentrale des Gehirns, weitergeleitet. Der Hypothalamus produziert einige Hormone wie das Oxytocin höchstpersönlich. Bei dem Signal „zärtliche Berührung" schüttet er das wohltuende „Glückshormon" Oxytocin aus, das nun unseren ganzen Körper durchströmt. Von hier aus findet es auch den Weg zu seinen Andockstellen in bestimmten Gehirnarealen und den Geschlechtsorganen, wo es seine angenehme Wirkung entfaltet.

Der „Kuschelwirkung" von Oxytocin kam man durch Studien an Ratten auf die Schliche: Durch tägliches, sanftes Massieren wurden die Ratten derart stark beruhigt, dass sogar eine Operation ohne Narkose bei den Tieren möglich war. Im Blut dieser gestreichelten Tiere fand man eine Anhäufung von Oxytocin, das durch die täglichen Berührungsreize vermehrt ausgeschüttet wurde.

Auch beim Menschen stimuliert Streicheln und Massage die Oxytocinproduktion. Das „freigestreichelte" Oxytocin macht uns sensibler für weitere Berührungen und stiftet ein behagliches Gefühl der Verbunden- und Geborgenheit. Die Intensität der Hormonwirkung hängt von der Art der Berührung ab. Ein freundschaftlicher Klaps auf den Rücken erzeugt ein kurzes Wohlbefinden. Die Streichelorgie unter Liebenden erzeugt hingegen einen wahren „Oxytocinsturm des Glücks".

Oxytocin wird bei Frauen am Ende einer Schwangerschaft vermehrt gebildet und gibt so das Startsignal für die Einleitung der Geburtswehen. Nach der Geburt regt es zudem die Milchproduktion bei Stillenden an.

Aufgrund dieser Wirkungen wird Oxytocin auch als Medikament eingesetzt. Zum einen kann durch die Gabe von Oxytocin die Kontraktion der Gebärmutter herbeigeführt und so eine Geburt künstlich eingeleitet werden. Zum anderen regt die Gabe von Präparaten, die Oxytocin enthalten, die Produktion von Milch bei jungen Müttern an, deren Körper nicht von allein in der Lage ist, eine ausreichende Menge an Muttermilch zu produzieren.

Biochemischer Treueschwur

Haben Sie sich schon einmal die Frage gestellt, wie es kommt, dass wir nach der ersten heftigen Phase des Verliebtseins, die durch die sexuelle Lust auf den Partner geprägt ist, den Wunsch nach einer langfristigen Bindung haben? Woher kommt unsere Sehnsucht nach einer gemeinsamen und harmonischen Zukunft mit unserem Traumpartner? Auch hier ist das Oxytocin wieder an der „molekularen Gefühlsvermittlung" beteiligt, denn Oxytocin löst auch das Gefühl der Verbundenheit und Treue aus. Dies hat man zumindest bei Mäusen nachweisen können, oder besser gesagt bei einer Mausart: der Präriewühlmaus.

Diese Nager sind ein Paradebeispiel für Treue – sie weichen ihrem ersten Sexualpartner nie wieder von der Seite und bleiben ihm ein Leben lang treu. Wissenschaftler versuchten, die biochemische Ursache dieses Treueverhaltens zu entschlüsseln, und siehe da: Sie fanden im Blut der „verliebten" Mäuse jede Menge

Oxytocin! Haben die Mäuse den richtigen Partner gefunden, wird dieses Hormon verstärkt ausgeschüttet und vermittelt so die Einhaltung eines Schwurs auf ewige Treue.

Wenn Sie sich jetzt fragen: „Warum sind wir Menschen nicht wie die Präriewühlmäuse? Dann gäbe es keine gescheiterten Beziehungen und diese ewige Suche nach dem richtigen Partner", tröstet es Sie vielleicht zu wissen, dass man sich auch im Tierreich nicht so lange umschauen muss, um ein völlig anderes Paarungsverhalten zu finden. Denn selbst enge Verwandte der „Liebesmäuse" nehmen es mit der Treue schon nicht mehr so ernst. Die australischen Montanemäuse sind zwar eng verwandt mit der Präriewühlmaus, dennoch zeigen sie ein völlig anderes partnerschaftliches Verhalten als ihre treuen Kollegen aus der Prärie. Die Montanemaus paart sich nämlich, mit wem sie gerade Lust hat, und nach dem sexuellen Akt gehen die Partner wieder getrennte Wege. Es wird Sie nicht weiter verwundern, wenn Sie jetzt erfahren, dass die Menge an Oxytocin im Blut dieser Mäuse äußerst gering ist.

Um ganz sicher zu gehen, dass die sexuelle Treue der Präriewühlmäuse durch Oxytocin bestimmt wird, verabreichte man den Tieren nun eine Substanz, welche die Freisetzung von Oxytocin im Körper verhindert. Nun war es auch den eigentlich treuen Präriewühlmäusen auf einmal völlig egal, mit wem sie sich paarten. Nach der sexuellen Befriedigung suchten sich die Mäuse einfach einen neuen Partner – den alten Gefährten hatten sie schnell wieder vergessen.

Dass Oxytocin auch beim Menschen starkes Verlangen auslösen kann, fand man – wie so oft – durch einen Zufall heraus. Wie bereits erwähnt, löst Oxytocin eine Kontraktion der Gebärmutter bei der Geburt aus und sorgt danach für eine ausreichende Produktion an Muttermilch. Aufgrund dieser Wirkungen wird Oxytocin ja auch als Medikament eingesetzt. Bei dem Versuch, Oxytocin in Form eines Nasensprays zu verabreichen, berichteten die Testpersonen über eine unerwartete Nebenwirkung: sexuelle Erregung. Diesem Effekt versuchte man auf den Grund zu gehen, indem man nun Testpersonen bat, Oxytocin zu inhalieren und sich dann sexuell zu stimulieren. Die Wirkung war verblüffend: Die Testpersonen berichteten ausnahmslos über sehr gefühlvolle Orgasmen und manch einer vom Orgasmus seines Lebens. Blockierte man hingegen die Freisetzung von Oxytocin durch ein Medikament, berichteten die Versuchspersonen zwar ebenfalls von sexueller Befriedigung, allerdings ohne tiefere Gefühle. Dies könnte erklären, warum Paare, die länger zusammen sind, eine völlig andere Sexualität erleben als zum Beginn ihrer Beziehung. Nun spielen tiefere Emotionen, Zärtlichkeit und Gefühl eine größere Rolle als die reine Befriedigung der sexuellen Lust und geben der Sexualität eine völlig andere Note.

Leider haben die Oxytocinforscher noch etwas herausgefunden: Das Hormon wirkt nicht ewig. Eine bittere Erkenntnis, die aber erklären könnte, warum das Versprechen auf ewige Treue so selten ein ganzes Leben lang hält. Bevor Sie jetzt den Treuegrad Ihres Partners anhand der Menge an Oxytocin im Blut bestimmen lassen wollen, denken Sie daran: Die Biochemie ist nicht alles, wenn es um Treue in der Partnerschaft geht.

LUSTMOLEKÜLE

Das Gehirn
kennt keine Scham.
(Jules Renard, französischer
Roman- und Tagebuchautor)

Die Lust im Kopf

Sex. Ein Thema, das uns immer wieder beschäftigt. Für manche Menschen hat Sex nicht unbedingt etwas mit Gefühlen zu tun, für andere wiederum ist Sex ohne Gefühle undenkbar. Warum ist gerade die Sexualität so eng mit starken Gefühlen und Empfindungen verknüpft? Geht es bei der geschlechtlichen Vereinigung um mehr als die reine Fortpflanzung? Und: Welchen Sinn macht der Orgasmus als Höhepunkt der geschlechtlichen Vereinigung? Begeben wir uns nun also in die Welt der Lustmoleküle und deren Wirkungsspektren.

Voraussetzung für den Geschlechtsverkehr ist zunächst einmal, dass wir überhaupt Lust darauf haben, und diese sexuelle Bereitschaft wird maßgeblich von den Sexualhormonen bestimmt. Hierzu zählen die männlichen Geschlechtshormone, die Androgene, deren wichtigster Vertreter das Testosteron ist, und die weiblichen Geschlechtshormone wie die Östrogene und das Progesteron. Der Hauptteil der Geschlechtshormone wird in den Geschlechtsdrüsen gebildet. So sind die Hoden die Hauptproduktionsstätte für das Testosteron und die Eierstöcke der Frau produzieren Östrogene und Progesteron.

Die strenge Einteilung der Sexualhormone in männliche und weibliche Geschlechtshormone stimmt jedoch nicht so ganz, denn jedes Geschlecht produziert beide Arten von Sexualhormonen, allerdings in unterschiedlichen Mengen.

Die Ursache hierfür ist, dass ein geringer Teil aller Sexualhormone auch in den Nebennieren beider Geschlechter produziert wird und von hier aus in die Blutbahn gelangt. Bei Frauen wird so ein wenig „männliches" Testosteron und bei Männern auch „weibliche" Östrogene in den Nebennierenrinden gebildet. Auch die Sexualhormone werden auf Befehl des Hypothalamus über die Hypophyse als Zwischen-schaltstelle in die Blutbahn abgegeben. Zum einen geschieht dies während der Pubertät, wodurch sich die geschlechtstypischen Merkmale ausbilden: Männer bekommen durch Testosteron ihren Bart und ihre tiefe Stimme, bei Frauen wächst durch einen Östrogenschub die Brust. Aber auch nach der Pubertät bestimmen diese Hormone weiterhin unser Geschlechtsverhalten und vor allem unsere Sexualität.

Pure Weiblichkeit

Zum Zeitpunkt der Befruchtung wird das Geschlecht des ungeborenen Kindes fest-gelegt. Das genetische Geschlecht entsteht bei der Verschmelzung von Ei- und Samenzelle und besteht entweder aus der Chromosomenkombination XX (weib-lich) oder XY (männlich). Die Erbanlagen auf dem X- bzw. dem Y-Chromosom sorgen dann bereits ab der zehnten Woche für die Produktion derjenigen Hor-mone, die die eigentliche Geschlechtsentwicklung einleiten. Liegt die Genkombi-nation XY vor, wird die Produktion von Testosteron gestartet, das die Ausbildung der männlichen Geschlechtsmerkmale steuert. Fehlen männliche, also Y-Informa-tionen, werden automatisch weibliche Hormone produziert. Bei diesem „Doppel-sieg" der X-Chromosome sind es die Östrogene, welche die Ausbildung der Ge-schlechtsmerkmale, die äußere Erscheinung, das Verhalten und die sexuelle Lust der (zukünftigen) Frau steuern. Zu den Östrogenen, von denen es mehr als 30 ver-schiedene Arten gibt, zählen das Östradiol, das Östron und das Östriol.

Im zwischengeschlechtlichen „Östrogenvergleich" haben die Frauen die Nase weit vorne: Die Östrogenkonzentration bei Frauen ist rund viermal höher als bei Männern. Auch der Geruchssinn wird von der Östrogenmenge im Körper beein-flusst. Da im weiblichen Körper mehr Östrogene kreisen, haben sie in aller Regel eine feinere Nase als das männliche Geschlecht. Wenn im Alter der Östrogenspie-gel der Frau absinkt, dann können die „männlichen" Hormone die Oberhand ge-winnen, was sich an der Ausbildung typisch männlicher Geschlechtsmerkmale äu-ßern kann: Die Frauen bekommen eine tiefere Stimme und einen Haarflaum auf der Oberlippe.

Bei einem genetisch bedingten „Östrogensieg" im Mutterleib bilden sich bei einem ungeborenen Mädchen schon ab der zehnten Woche die ersten Eier in den Eierstöcken. Die hierfür erforderlichen Hormone erhält das Ungeborene aus dem Mutterkuchen, der Plazenta, die das Ungeborene mit allen wichtigen Nährstoffen versorgt.

Nach der Geburt ist das Kind dann allerdings auf seinen eigenen Hormonhaushalt angewiesen. Nur ein ganz kleiner Teil der während der Entwicklung des Ungeborenen im Mutterleib gebildeten Eier wird später ausreifen und ein noch kleinerer Teil wird vielleicht eines Tages befruchtet werden, um ein neues Leben entstehen zu lassen.

Im Alter von etwa acht Jahren werden die Geschlechtshormone eines Mädchens aktiv. Hierbei spielt das Körpergewicht eine Rolle. Da sich Östrogene mit Vorliebe in Fett einlagern, haben Mädchen mit einem erhöhten Körpergewicht folglich mehr Östrogene im Körper. Bei ihnen setzt daher die Menstruation früher ein als bei schmächtigeren Mädchen mit einem geringeren Körpergewicht.

Zu Beginn der Pubertät werden die Eierstöcke über eine Reihe von Folgereaktionen schließlich dazu angeregt Östrogene zu produzieren. Mit der Bildung und Ausschüttung der Östrogene in die Blutbahn verändert sich auch das Aussehen des Mädchens. Nun bilden sich die typisch weiblichen Geschlechtsmerkmale aus: Die Brüste, die Achsel- und Schambehaarung, das Wachsen der Schamlippen sowie

---

Steckbrief - Östrogene

Östrogene schaffen die hormonellen Voraussetzungen für lustvollen Sex und wirken stärkend auf Knochen sowie das Herz. Sie sorgen für das typische weibliche Erscheinungsbild in Figur, Haut und Behaarung und stabilisieren das seelische Gleichgewicht. Die Östrogenproduktion unseres Körpers kann beeinflusst werden durch:

• Geschlechtsverkehr ↑

• Fettleibigkeit ↑

• Menopause ↓

• Alkohol ↓

• Sexuelle Enthaltsamkeit ↓

---

eine Erweiterung des Beckens (für das Wachsen der Klitoris ist hingegen das Testosteron verantwortlich). Die Östrogene sorgen auch dafür, dass die Haut straffer wird, da unter dem Einfluss dieses Hormons mehr Wasser in der Haut eingelagert wird. Der veränderte Hormonhaushalt vieler Heranwachsender wird auch durch das Ausbilden einer Akne in der Pubertät sichtbar. Zwei bis vier Jahre später reicht die Östrogenmenge dann schließlich aus, ein Ei in den Eierstöcken heranwachsen zu lassen. Es kommt zum Eisprung und zur ersten Menstruation, die auch als Menarche bezeichnet wird.

Der Menstruationszyklus dauert etwa 28 Tage. In der ersten Phase des weiblichen Zyklus reift in den Eierstöcken ein bläschenförmiges Gebilde – das Follikel – heran, das eine Eizelle enthält. In dieser Zeit werden in erster Linie Östrogene ausgeschüttet. Sie helfen unter anderem dabei mit, die Gebärmutterschleimhaut nach der letzten Menstruation wieder aufzubauen.

In der Mitte des Zyklus erfolgt der Eisprung, wodurch das Ei über den Eileiter zur Gebärmutter wandert. Kurz vor dem Eisprung erreicht der Östrogenspiegel seinen Höchstwert. An diesen Tagen hält der Körper besonders viel Salze und damit auch Wasser zurück und vor allem der Unterleib und die Arme, Finger und Beine schwellen an (ein Grund für Frauen keinen Ring an diesen Tagen zu kaufen; möglicherweise fällt er nur einige Tage später vom Finger). Die Östrogenwirkung wird aber auch daran deutlich, dass in dieser Östrogenhochphase die Brüste anschwellen und nun besonders sensibel für Berührungsreize sind. Die erhöhte Östrogenkonzentration ist auch ein Grund dafür, dass Frauen in dieser Zeit besonders leistungs- und lernfähig sind.

Aber auch die Lust auf Sex ist bei Frauen während dieser fruchtbaren Tage – ausgelöst durch einen gleichzeitigen Anstieg von Östrogen und dem männlichen „Scharfmacher" Testosteron – besonders groß. Die vermehrte Östrogenbildung wird auch dafür verantwortlich gemacht, dass viele Frauen in diesem Zeitraum einen besonders lustvollen Orgasmus erleben.

In der zweiten Hälfte des weiblichen Zyklus dominiert dann das Progesteron, ein weiteres weibliches Geschlechtshormon, das die Gebärmutterschleimhaut auf das Einnisten eines befruchteten Eis vorbereitet und auch die Befruchtungsfähigkeit von Spermien erhöht. Zudem führt der Progesteronanstieg dazu, dass das im Gewebe eingelagerte Wasser wieder ausgeschwemmt wird und die Körpertemperatur leicht ansteigt. Das Progesteron wirkt hierbei auf das Wärmeregulationszentrum des Körpers, den Hypothalamus, wodurch sich die Körpertemperatur um etwa 0,4 bis 0,6 Grad Celsius erhöht. Dieser Temperaturanstieg zeigt die fruchtbaren Tage der Frau an und kann zur natürlichen Schwangerschaftsverhütung herangezogen werden.

Nach dem Eisprung sinkt auch der Serotoninspiegel im weiblichen Körper langsam ab und bewirkt einen Energieabfall und wechselnde Stimmungen. In dieser Zeit sind Frauen eher reizbar und der Heißhunger auf Süßes steigt, da der Körper jetzt nach molekularen Baustoffen für die Serotoninproduktion giert.

Findet keine Befruchtung statt, dann sorgen die Sexualhormone dafür, dass die Gebärmutterschleimhaut wieder abgebaut wird und die Blutung einsetzt. Nun findet das zyklusabhängige Auf und Ab der weiblichen Hormone erneut statt.

Kommt es jedoch zu einer Befruchtung, dann erlebt der weibliche Körper einen wahren Östrogenansturm: Die Brüste schwellen an, der Körper lagert mehr Wasser ein und sogar die Haare wachsen schneller. Dazu kommt noch ein unstillbarer Heißhunger, der der Lust auf saure Gurken einen unstillbaren Appetit auf Eis folgen lässt. Der weibliche Körper holt sich jetzt was er braucht, um seinen durcheinander gewirbelten Nährstoff- und Botenstoffhaushalt im Lot zu halten. Wenn der Körper nach Salz verlangt, das durch Östrogene im Gewebe zurückgehalten wird, dann müssen Gurken her, wenn er kurz danach stimmungshebende Kohlenhydrate verlangt, dann ist Schokolade dran.

Auch der Geruchssinn der Frauen verändert sich mit der Schwangerschaft. Durch den erhöhten Östrogenspiegel ist die weibliche Nase jetzt besonders sensibel und verliert jegliches „normales" Empfinden für Gerüche. So schmeckt dann das liebevoll zubereitete Essen einer Schwangeren oftmals eher fad.

Nach der Geburt sinkt der Östrogenspiegel wieder auf seinen Normalwert und der körperliche Ausnahmezustand während einer Schwangerschaft weicht wieder dem hormonellen „Normalbetrieb".

Weiblicher Schutz

Östrogene schützen das Herz, beugen Arterienverkalkung vor und bauen Cholesterin ab. Daher erkranken weniger Frauen an den typischen „Männerkrankheiten" wie Herzinfarkt und erhöhtem Cholesterinspiegel.

Der Scharfmacher

Beim Mann überwiegen die „männlichen Hormone" wie das Androsteron und das Testosteron. Das Androsteron haben wir bereits als Sexuallockstoff kennen gelernt, das über den männlichen Schweiß ausgeschieden wird und so in der Luft vom anderen Geschlecht „erschnuppert" werden kann. Der Stoff, aus dem später die Vorliebe für Bauklötzchen, schnelle Autos und Fußball wird, heißt Testosteron. Das Testosteron ist aber auch der „Scharfmacher" unter den Sexualhormonen. Es steigert den Sexualtrieb bei beiden Geschlechtern und fördert sexuelle Phantasien.

Produziert wird das Testosteron beim Mann in erster Linie in den Hoden. Daneben wird Testosteron, wenn auch in geringeren Mengen, auch beim Mann von den Nebennieren produziert. Daher können auch Eunuchen, denen die Hoden durch Kastration entfernt wurden, durchaus ein befriedigendes Sexualleben haben. Die in den Nebennieren gebildete Menge dieses Hormons reicht allemal aus, um Lust zu bekommen.

Die molekulare „Muttersubstanz" aller Geschlechtshormone ist das DHEA. Aus diesem Molekül werden alle Geschlechtshormone im Körper gebildet. Aus dem „weiblichen" Progesteron wird durch wenige biochemische Schritte das „männliche" Testosteron, das wiederum recht einfach zu den Östrogenen umgewandelt werden kann. Hieran erkennt man, wie schmal der molekulare Grat zwischen Frau und Mann ist.

Die Testosteronkonzentration im männlichen Körper beträgt durchschnittlich etwa sechs Nanogramm (0,000000006 Gramm) pro Milliliter Blut und hat gigantische Auswirkungen. Dieses wichtigste männliche Geschlechtshormon festigt

---

Lustkiller Lakritze

Italienische Forscher haben herausgefunden, dass durch den Verzehr von Lakritze bestimmte Enzyme gehemmt werden, die für die Produktion männlicher Hormone verantwortlich sind. Bereits sieben Gramm Lakritze pro Tag reichen aus, um den Testosteronspiegel bei Männern im Alter zwischen 22 und 24 Jahren innerhalb von vier Tagen auf die Hälfte zu reduzieren.

---

nicht nur den Knochenbau und lässt Muskelpakete wachsen, es prägt auch bereits im Mutterleib die typisch männliche Gehirnstruktur. Testosteron beeinflusst nach einer britischen Studie auch das sprachliche Ausdrucksvermögen. Je höher der Testosterongehalt, desto besser soll die Redefähigkeit sein.

Auch im Körper einer Frau patrouilliert Testosteron durch die Blutbahn, wenn auch in wesentlich geringeren Mengen als beim Mann. Die Testosteronkonzentration bei Frauen beträgt nur etwa ein Zehntel der Testosteronmenge eines Mannes. „Testosterontechnisch" lassen sich daher Frauen in aller Regel etwas mehr Zeit in Sachen Erregbarkeit. Der lustfördernde Testosteronanstieg schärft zudem unsere Sinne: Bei einem erhöhten Testosteronspiegel können wir besser riechen und sind empfänglicher für zärtliche Berührungen. Nun sind wir besonders offen für Liebesreize.

Die Konzentration an Testosteron ist in unserem Körper nicht immer gleich hoch, sondern wird sowohl durch äußere Reize als auch durch zeitabhängige biologische Schwankungen bestimmt. Testosteron wird vermehrt am frühen Morgen und am späten Abend ausgeschüttet, was die erhöhte Lust auf körperliche Liebe gerade zu diesen Tageszeiten erklärt.

Die morgendliche Erektion des Mannes ist übrigens ebenfalls auf den Anstieg des Testosteronspiegels in den frühen Morgenstunden zurückzuführen. Sie wird also nicht, wie man glauben könnte, primär durch einen erotischen Traum ausgelöst.

Sex treibt den Testosteronspiegel in Schwindel erregende Höhen, was Lust auf mehr Sex macht. Sport ist ebenfalls eine Möglichkeit, die „Lustmacher" zu aktivieren, da durch die körperliche Belastung die Nebennieren aktiviert werden und somit auch mehr Testosteron ausgeschüttet wird. Stress ist hingegen tödlich für die Lust und unterdrückt die Freisetzung der Sexualhormone. Wir kennen dies: Sind wir im Beruf überlastet, so empfinden wir auch kein Verlangen nach sexueller Betätigung.

Höhepunkt bei 220

Testosteron macht Lust auf Sex. Bei Männern geht dies ziemlich schnell. Sie haben einen hohen Normalspiegel an Testosteron im Körper und sind so für sexuelle Reize wesentlich empfänglicher als Frauen. Allein der Anblick einer nackten Frau kann den Testosteronspiegel beim Mann auf das Doppelte ansteigen lassen und Lust auf mehr wecken.

Bei Frauen schießt der Testosteronspiegel immerhin um etwa 80 Prozent in die Höhe, wenn sie erregt sind. Die Libido kann daher bei beiden Geschlechtern ähnlich intensiv sein.

Bei sexueller Erregung folgen den Sexualhormonen zwei weitere Botenstoffe in die Blutbahn: Oxytocin und Vasopressin. Beide Hormone werden im Hinterlappen der Hypophyse gespeichert und von dieser selbst in die Blutbahn gejagt, wenn die Lust steigt.

Das Vasopressin verengt nach seiner Freisetzung in den Organismus die Venen, also diejenigen Blutgefäße, die zum Herzen führen, damit die Geschlechtsorgane ausreichend mit Blut versorgt werden. Statt üblicherweise knapp fünf Liter pumpt das Herz jetzt pro Minute 10 bis 15 Liter sauerstoffreichen Blutes in vom Herzen wegführende Arterien. Dies ist weitaus mehr als über die Venen wieder zum Herzen zurückfließen kann.

Die Folge: Die Geschlechtsorgane schwellen an. Dies wird vor allem beim Mann offensichtlich, bei dem der Blutstau im Schwellkörper eine Erektion auslöst. Der Penis hat im unerregten Ruhezustand einen Blutdruck von 15 Millimeter Quecksilber. Durch den Blutstau wird er größer und richtet sich bei einem Druck von 70 bis 500 Millimeter Quecksilber auf. Zudem zieht sich nun der Hodensack zusammen und die Hoden werden durch kleine Muskeln näher an den Körper gezogen.

Bei der Frau verursacht die Ausschüttung von Vasopressin ein Anschwellen der Klitoris und des unteren Teils der Vagina. Daneben reguliert das Vasopressin auch unser Durstgefühl und unseren Harndrang. Ist die Vasopressinmenge im Blut bei sexueller Erregung erhöht, empfinden wir daher weniger Durst und haben in aller Regel auch nicht das Verlangen auf die Toilette zu gehen. Wenn wir sexuell erregt sind, dann kann der Vasopressinspiegel auf das Vierfache seines Normalwertes ansteigen.

Innerhalb von 10 bis 30 Sekunden nach der ersten Erregung wird bei Frauen – angetrieben durch eine erhöhte Ausschüttung von Östrogenen – die Scheide feucht. Zudem richtet sich die Gebärmutter auf, die Brüste werden größer und die Brustwarzen hart.

Zusammen mit dem Vasopressin gelangt auch Oxytocin ins Blut, dessen Konzentration während des Geschlechtsverkehrs zunehmend ansteigt. Hat die Oxytocinmenge im Blut schließlich einen Maximalwert erreicht, dann gibt es kein Zurück mehr: Es kommt zum Orgasmus.

Die geballte Oxytocinladung bewirkt, dass sich die Muskeln der Genitalien, des Beckens und des analen Ringmuskels rhythmisch zusammenziehen. Je nach Intensität überströmen Mann und Frau nun 10 bis 15 dieser rhythmischen „Wellen", anfangs sehr regelmäßig im Abstand von etwa einer Sekunde, später unregelmäßiger. Durch die Muskelkontraktionen wird auch der Samen im Penis nach draußen befördert.

Männer erreichen im Durchschnitt nach zwei bis vier Minuten den Höhepunkt, Frauen brauchen oft fünf bis zehn Minuten, zwölf Prozent gar noch länger. Dafür können Frauen leichter mehrmals hintereinander die genüsslichen Zuckungen im Unterleib erleben.

Die Oxytocinmenge im Blut bestimmt auch die Stärke des Orgasmus. Je mehr Oxytocin zum Zeitpunkt „X" in unserem Blut kreist, umso intensiver sind die Gefühle beim Orgasmus. Beim Orgasmus ist der Oxytocinspiegel im Blut um etwa das Dreifache erhöht. Die Atemfrequenz kann sich beim Orgasmus um das 40fache des Normalwertes erhöhen und bis zu 60 Atemzüge in der Minute erreichen. Der Puls hämmert jetzt mit bis zu 180 Schlägen pro Minute und der Blutdruck erreicht die rekordverdächtige Marke von 220. Bei Mann und Frau kann nun für kurze Zeit eine Bewusstseinstrübung und Kontrollverlust eintreten.

Manchmal führt die Ekstase sogar bis zur völligen Ohnmacht. Doch dieser Gipfelsturm der Gefühle ist nur von relativ kurzer Dauer: Nach etwa einer Minute ist die Hälfte des Oxytocins wieder abgebaut.

Ein Orgasmus hat – neben den mit ihm verbundenen schönen Gefühlen – noch einen weiteren Vorteil, nämlich dann, wenn es um eine gewollte Schwangerschaft geht. Beim sexuellen Höhepunkt wird unter anderem vermehrt Oxytocin ausgeschüttet, welches den Gebärmutterhals rhythmisch verengt. Hierdurch öffnet und hebt sich der Gebärmutterhals in regelmäßigen Abständen und schließt und senkt sich dann wieder, wodurch die Spermien regelrecht aufgesaugt werden.

So behält eine Frau, die einen Orgasmus hat, etwa 50 bis 90 Prozent der Spermien in sich. Hat sie keinen Höhepunkt, so schrumpft die Anzahl an potenziell befruchtungsfähigen Spermien auf 0 bis 50 Prozent. Daher ist die Möglichkeit einer Schwangerschaft erhöht, wenn die Frau beim Geschlechtsverkehr einen Orgasmus hat.

„Schläfst Du schon?"

Das Hormon Vasopressin scheint auch schlaffördernde Eigenschaften zu haben. Alte Menschen, die drei Monate das Hormon über ein Nasenspray inhaliert hatten, schliefen länger am Stück. Vielleicht ist dies ja der Grund, warum viele Männer nach dem Sex innerhalb kürzester Zeit einschlafen.

Schwangere Männer

Es gibt ein interessantes Phänomen, das manchmal während einer Schwangerschaft bei den werdenden Vätern auftritt: Sie zeigen ähnliche Stimmungsschwankungen wie die werdende Mutter und nehmen unter anderem wie diese auch im Verlauf der Schwangerschaft an Gewicht zu. Sie sind so gewissermaßen mit ihren Frauen schwanger.

Die während einer Schwangerschaft bei Frauen auftretenden hormonellen Veränderungen sind seit langem bekannt. Die Östrogene nehmen ebenso zu wie das Stresshormon Cortison. Jetzt hat man herausgefunden, dass bei den werdenden Vätern ebenfalls – wenn auch in geringerem Maße – Hormonschwankungen während der Schwangerschaft ihrer Partnerinnen auftreten können. So kann bei manchen Männern im Verlauf der Schwangerschaft eine Erhöhung der Menge an Testosteron und Cortisol beobachtet werden.

Kurz nach der Geburt sinken die Werte wieder ab. Die Männer haben danach durchschnittlich ein Drittel weniger Testosteron im Blut. Je niedriger die Menge des männlichen Sexualhormons war, desto fürsorglicher verhielten sich die Väter. Man vermutet, dass die während einer Schwangerschaft von den Frauen ausgeschiedenen Pheromone den Hormonspiegel der werdenden Väter beeinflussen.

Vor mehr als 20 Jahren tauchte erstmals die „Pille für den Mann" als alternatives Verhütungsmittel in den Schlagzeilen der Presse auf. Das Ziel dieses Forschungszweiges ist es, die Spermienbildung bis hin zu einer Spermienflüssigkeit ohne jegliche Spermien zu unterdrücken.

Eine Möglichkeit einer solchen hormonellen Spermienreduktion bei Männern besteht in der Hemmung der Produktion des männlichen Sexualhormons Testosteron. Da Testosteron unter anderem für eine genügend hohe Spermienkonzentration sorgt, kann man hier den Hebel mit einer entwickelten Antischwangerschaftsspritze ansetzen. Der Trick: Die Spritze enthält einen künstlichen Abkömmling von Testosteron, der die gleichen Wirkungen entfaltet wie sein natürlicher Kollege, mit einer entscheidenden Ausnahme: Er besitzt keinerlei spermienbildende Eigenschaften. Durch das „etwas andere" Testosteron wird dem Körper vorgegaukelt, es sei genügend körpereigenes Testosteron vorhanden, woraufhin dieser seine eigene Testosteronproduktion zurückfährt. Das nun nur noch im Körper vorhandene künstliche „Testosterondouble" ist jedoch nicht in der Lage die Spermienproduktion anzukurbeln, woraufhin die Spermienbildung in den Hoden völlig erlahmt. Die gute Seite des künstlichen Verwandten des Testosterons: Er fördert weiterhin den Bartwuchs, die Potenz und Libido und ermöglicht auch eine Ejakulation.

Mit der Pille für den Mann versucht man einen etwas anderen Weg zu gehen: Diese Verhütungspille enthält ein weibliches Geschlechtshormon, das die Befehlsgewalt der Hypophyse zur Ausschüttung von Testosteron hemmt. Hierdurch wird die Samenproduktion ebenfalls eingestellt. Um die Manneskraft zu erhalten, muss bei dieser Art der Verhütung jedoch einmal wöchentlich eine geringe Menge an Testosteron künstlich verabreicht werden.

Der Wermutstropfen für alle Frauen: Bisher hat es noch keine der speziell für Männer entwickelten Verhütungspillen und -spritzen zur Marktreife gebracht.

KÖRPEREIGENE SCHMERZKILLER

Schmerz und Freude liegen in einer Schale.
Ihre Mischung ist der Menschen Los.
(Johann Gottfried Seume,
deutscher Schriftsteller)

Das springende P

Sicherlich sind Sie schon einmal in eine Glasscherbe getreten, zu Hause in der Küche oder im Urlaub am Strand. Sie zogen Ihr Bein reflexartig hoch, empfanden einen kurzen stechenden Schmerz, begleitet von einem „Autsch" und begutachteten anschließend verwundert die Schnittwunde an Ihrem Fuß. Nach dem Aufkleben eines Pflasters oder etwas Spucke war die Sache meistens schon wieder vergessen.

Damit der menschliche Körper Schmerzen bemerken kann, verfügt er über ein weit verzweigtes „Meldesystem". Direkt unter der Haut enden zahlreiche Ausläufer von Nervenzellen, die sich darin unterscheiden, durch welche Art von Reiz sie aktiviert werden. So gibt es Zellen, die auf Druckreize ansprechen, andere sind empfindlich gegenüber Temperaturänderungen.

Wieder andere Arten von Nervenzellen werden erregt, wenn Gewebe verletzt wird, zum Beispiel durch einen Schnitt oder eine Verbrennung. Diese Schmerzmelder werden als Schmerzrezeptoren oder Nozi(re)zeptoren bezeichnet (von: lat. noxa = Schaden), eine Noxe ist also ein Stoff oder Umstand, der eine schädigende Wirkung auf den Organismus hat).

Der spezialisierte Schmerzrezeptor, der Nozizeptor, ist das blanke Ende einer Nervenfaser, die sich auf Schmerz, aber auch Hitze- und Druckreize spezialisiert hat und ihre Empfindungen an das zentrale Nervensystem weiterleitet. Bei dieser Art von Schmerzempfängern handelt es sich um freie Nervenenden, die durch eine Beschädigung aktiviert werden.

Über diese „nackten" Nervenenden wird infolge einer Verletzung ein Schmerzsignal vom Ort des Geschehens zunächst zum Rückenmark geleitet. Der Fuß wird von der Gefahrenstelle zurückgezogen und so weitere Verletzungen vermieden. Diese erste Sofortmaßnahme unseres Körpers bezeichnet man als Reflex. So kann unser Körper auf eine Verletzung schon reagieren, bevor wir diese im Gehirn bewusst wahrnehmen. Vom Rückenmark ausgehend wird der Schmerzreiz schließlich zum Gehirn weitergeleitet. Im Gehirn treffen die Schmerzreize in einem bestimmten Areal der Großhirnrinde ein, das man als sensorischen Kortex, also „fühlende Großhirnrinde", bezeichnet. Hier sitzen die Nervenzellen, die „orten" können, woher der Schmerz kommt, und sie sind es, die unser Schmerzempfinden auslösen.

Bei den Schmerzweiterleitungssystemen unterscheidet man zwei Arten: Ein relativ langsames System, durch das die Schmerzmeldung beispielsweise vom Fuß erst nach etwa zwei Sekunden im Gehirn ankommt, und ein rasend schnelles Schmerzleitungssystem, bei dem der Schmerzreiz zwischen fünf und 30 Meter in der Sekunde zurücklegen kann.

Der schnelle Reiz ist für das erste stechende Schmerzgefühl verantwortlich, das wir kurz nach einer Verletzung empfinden. Die langsame Schmerzübertragung zum Gehirn löst den länger anhaltenden, sich „dumpf" anfühlenden Schmerz aus, der sich etwas später einstellt. Wie viele Nervenbahnen sind auch die Nervenbahnen, über die Schmerzreize zum Gehirn gelangen, an einigen Stellen unterbrochen. Eine Weiterleitung des elektrischen Reizes ist an diesen Zwischenräumen nur dann möglich, wenn der Spalt in den Nerven durch die Aussendung eines chemischen Botenstoffes überbrückt wird. Dieser Schmerzbotenstoff springt hierzu – angestoßen durch einen eintreffenden elektrischen Schmerzreiz – über die Kluft, um am anderen Ende der Nervenbahn erneut einen elektrischen Reiz auszulösen. Durch diese chemische „Überbrückung" wird das Schmerzsignal schließlich bis ins Gehirn weitergeleitet. Einer dieser chemischen Schmerzboten in den Schmerznervenbahnen ist ein kleines Molekül mit dem wenig spektakulär klingenden Namen „Substanz P".

Ist die Schmerzmeldung im Gehirn angekommen, wird der Reiz in den Teil der Großhirnrinde gesendet, der feststellen kann, woher der Schmerzreiz kommt. Eine weitere Verzweigung der im Gehirn eintreffenden Schmerznervenbahn endet im limbischen System, wo das Ereignis bewertet und eine weniger angenehme Warnmeldung ausgesendet wird: Schmerz. Denken Sie nur an Bauchschmerzen, die uns signalisieren, dass wir uns möglicherweise den Magen verdorben haben, oder

Kopfschmerzen, die uns mitteilen, dass das letzte Glas Wein am vergangenen Abend doch zu viel war.

Bei äußeren Verletzungen, beispielsweise einer Schnittwunde, wäre ein fehlendes Schmerzempfinden noch nicht ganz so schlimm. Irgendwann würden wir Blut aus der Wunde treten sehen und dadurch auf die entstandene Blessur aufmerksam gemacht. Anders ist es bei Verletzungen oder Erkrankungen der Eingeweide, die wir ja nicht sehen können. In diesen Fällen ist das Schmerzempfinden die einzige Möglichkeit unseres Körpers, auf eine innere Verletzung hinzuweisen.

Schmerz ist also zunächst einmal etwas Positives, sozusagen ein „Hilferuf" unseres Körpers, der uns mitteilt, dass irgendetwas nicht in Ordnung ist. Wer jedoch Schmerzen hat, wird dies mit Sicherheit nicht so sehen und kann diesem Gefühl nun ganz und gar nichts Gutes abgewinnen. Denn die unangenehme Seite des Schmerzes ist, so trivial es auch klingen mag, dass er weh tut.

Innere Opiate

„Aua, es tut so weh!", klagt Anita. Schon seit Stunden wird sie von starken Bauchschmerzen gequält, die einfach nicht weggehen wollen. Immer wieder macht sich ein stechender Schmerz in Anitas Unterleib bemerkbar, während sie völlig verkrampft im Bett liegt. „Du musst zum Arzt", sagt Stefan besorgt. „Irgendetwas stimmt nicht mit dir." Der Arzt verschreibt Anita schließlich ein starkes Schmerzmittel und bittet sie wiederzukommen, falls die Schmerzen nicht nachlassen sollten. Doch das ist nicht notwendig, denn Anitas Schmerzen sind nach der Einnahme des Schmerzmittels wie weggeblasen.

Das Rätsel um Anitas Bauchschmerzen sollte sich bald lösen: Sie bekam ihre Periode, die sich diesmal durch das Auftreten starker Schmerzen im Unterleib ankündigte. Was Anita nicht wusste ist, dass das verschriebene Schmerzmittel nicht die Ursache ihrer Schmerzen beseitigt, sondern lediglich die Weiterleitung der Schmerzmeldung zum Gehirn unterbrochen hatte.

Nicht immer endet ein Schmerzempfinden so glimpflich wie in Anitas Fall. Bei schweren Erkrankungen, wie beispielsweise Krebs, können die durch einen Tumor ausgelösten Schmerzen derart stark sein, dass manche der hiervon betroffenen Patienten nur noch einen Ausweg aus dem Martyrium sehen: Selbstmord.

Eine Möglichkeit, die Schmerzen für Patienten erträglicher zu machen, besteht in der Verabreichung von sehr starken Schmerzmitteln wie den Opiaten, deren bekanntester Vertreter das Morphin ist. Morphin ist ein Wirkstoff, der im getrockneten Milchsaft der Mohnpflanze, dem so genannten Rohopium, enthalten ist. Das Morphium, das 1809 von dem Apotheker Friedrich A. W. Sertüner erstmals isoliert werden konnte, hat neben seiner bekannten Rauschwirkung auch einen ausgeprägt schmerzlindernden Effekt. Im Rohopium sind übrigens neben dem Morphium eine Reihe weiterer medizinisch wirksamer Substanzen enthalten wie das Schmerzmittel Narkotin, das krampflösende Papavarin und das hustenreizmildernde Kodein.

Die Opiate entfalten ihre schmerzstillende Wirkung, indem sie die Weiterleitung des Schmerzreizes über die Nervenbahnen – schlicht und ergreifend – blockieren. Die Meldung „Hier ist etwas nicht in Ordnung" kommt somit nicht mehr im Gehirn an und das Gefühl „Schmerz" wird von unserem Oberstübchen nicht mehr ausgesendet. Wir nehmen den Schmerz nicht mehr wahr. Im medizinischen Fachjargon wird eine solche medikamentöse Unterdrückung des Schmerzempfindens als Analgesie bezeichnet (an = kein, Algesie = Schmerz). Die Opiate entfalten ihre Wirkung dort, wo die Schmerzleitungsbahnen auf natürliche Weise unterbrochen sind. An den Unterbrechungsstellen der Schmerzbahnen verhindern die Opiate, dass der Botenstoff Substanz P das Schmerzsignal weiterleitet. Hierzu blockieren die Opiate die Andockstellen für Substanz P, die somit nach ihrem „Klippensprung" keinen erneuten elektrischen Reiz mehr auslösen kann. Doch wie gesagt: Durch die Blockade der Schmerzweiterleitung wird die Ursache des Schmerzes

---

Schmerzfreies Gehirn

Im Gehirn selbst befinden sich keine Schmerzrezeptoren. Daher können Operationen am Gehirn bei Bewusstsein des Patienten durchgeführt werden. So kann der Arzt während des Eingriffs mit dem Patienten sprechen und seine Körperreaktionen testen, um Beschädigungen von wichtigen Gehirnabschnitten zu vermeiden.

> **Steckbrief – Endorphine**
>
> Als körpereigene Schmerzkiller unterbinden Endorphine die Weiterleitung eines Schmerzreizes zum Gehirn. Zudem sorgen sie für ein starkes Glücksgefühl und können regelrecht „high" machen. Die Endorphinkonzentration im Körper wir beeinflusst durch:
>
> • Verletzungen, Erkrankungen ↑
> • Berührung ↑
> • Schmerzmittel vom Opiattyp ↓

(beispielsweise ein Tumor) nicht beseitigt. Lediglich das schmerzhafte Gefühl, das eine Krankheit oder Verletzung begleiten kann, wird unterdrückt. Für einen Patienten kann diese Schmerzfreiheit jedoch eine enorme Verbesserung seiner Lebensqualität bedeuten.

Viele Jahre verstand man nicht, warum der menschliche Organismus überhaupt über solche „Andockstellen" für körperfremde Substanzen wie die Opiate verfügt. Woher sollte der menschliche Organismus wissen, dass es diese chemischen Verbindungen in der Natur gibt und das passende molekulare Schloss für Opiate bereithalten? Erst im Jahr 1975 konnte dieses Rätsel gelöst werden, als man herausfand, dass der menschliche Körper selbst über Opiate verfügt. Bei Verletzungen und Erkrankungen werden diese körpereigenen „Schmerzkiller", die so genannten Endorphine, auf Befehl des Gehirns verstärkt in die Blutbahn ausgeschüttet.

Die Endorphine ähneln in ihrer chemischen Struktur den Opiaten und unterdrücken die Schmerzweiterleitung in exakt der gleichen Weise wie die körperfremden Schmerzmittel. Dies ist auch der Grund für die Namensgebung dieser körpereigenen Schmerzhemmer. Das Wort „Endorphine" leitet sich von endogenen Morphinen ab (endo = von innen zugeführt; Endorphine bedeutet also: „von innen zugeführte Morphine"). Der Körper ist somit durch die Freisetzung von körpereigenen Schmerzmitteln in der Lage, sich selbst vor Schmerzen zu schützen. Gebildet werden die Endorphine vor allem im Stammhirn und im Rückenmark.

Den endgültigen Nachweis der Opiat-Rezeptoren im menschlichen Körper verdanken wir übrigens dem Selbstexperiment des amerikanischen Radiologen Henry Wagner. Im Jahre 1983 injizierte er sich kurzerhand selbst radioaktives Opium und legte seinen Kopf unter einen PET. Durch das „leuchtende Opium" konnte man nun genau verfolgen, wo sich das Opium bevorzugt ansammelt. In bestimmten Gehirngebieten, zum Beispiel in Teilen des limbischen Systems, sitzen die Opiumrezeptoren und warten auf den passenden „Schlüssel" – das Opium.

Sturmlauf der Schmerzboten

Doch was kann es für einen Sinn haben, dass der Körper sein eigenes Warnsignal – den Schmerz – unterdrückt? Die Antwort ist relativ einfach: Ein starker Schmerz kann derart unangenehm sein, dass wir außerstande sind, irgendeine Tätigkeit auszuüben – der Schmerz lähmt uns gewissermaßen. Liest man jedoch beispielsweise die Berichte über verwundete Soldaten, die es trotz abgetrennter Gliedmaßen schafften, sich bis ins nächste Lazarett zu schleppen, so fragt man sich, wie dies bei so enormen Schmerzen möglich war.

Die Antwort liegt jetzt auf der Hand: Die schwere Verletzung löste einen regelrechten „Sturmlauf" der Endorphine aus, durch den das Schmerzempfinden fast vollständig unterdrückt wurde. Der Verwundete nahm die enormen Schmerzen nicht mehr wahr und schaffte den lebensrettenden Weg zur Krankenstation.

Eine Schwangerschaft und vor allem die Geburt sind recht schmerzhafte Angelegenheiten. Daher ist es nicht weiter verwunderlich, dass sich der Körper auch vor diesen biologisch vorprogrammierten Schmerzen selbst schützt, indem er vermehrt Endorphine ausschüttet. Während einer Schwangerschaft ist der Endorphinspiegel im Blut stark erhöht und erreicht bei der Geburt schließlich seinen Maximalwert: Die werdende Mutter nimmt den Geburtsschmerz nicht mehr so intensiv wahr (ohne diesen schmerzdämpfenden Effekt der Endorphine wären diese Schmerzen wahrscheinlich gar nicht auszuhalten). Bereits 24 Stunden nach der Geburt ist die Endorphinkonzentration aber schon wieder auf ihren Normalwert abgefallen.

Fakire, die gemütlich auf einem mit Nägeln gespickten Brett sitzen können, verdanken diese Fähigkeit ebenfalls der schmerzstillenden Wirkung der Endorphine, die bei diesem schmerzreichen Kunststück vermehrt freigesetzt werden. Auch die Akupunktur zur Schmerzbehandlung nutzt den Endorphineffekt aus:

Hierzu wendet man einen kleinen Trick an, mit dem sich der menschliche Körper überlisten lässt. Das Gehirn ist in der Lage, zwischen unterschiedlichen Reizwahrnehmungen zu unterscheiden, und sortiert daher wichtige von unwichtigen Informationen aus.

Eine kleine „Vorausscheidung" wird auch schon dadurch getroffen, dass schwache Reize gar nicht in der Lage sind, den Botenstoff zur Überbrückung der Reizweiterleitung „anzuschubsen", und folglich erst gar nicht im Gehirn ankommen.

Was passiert nun aber, wenn verschiedene Reize gleichzeitig im Gehirn eintreffen? Nun muss das Gehirn eine Bewertung vornehmen, welchem der Reize es mehr Aufmerksamkeit schenkt. Und natürlich „siegt" hierbei der stärkere Reiz. Wenn uns Kopfschmerzen plagen und wir uns in den Finger schneiden, so sind die Kopfschmerzen erst einmal vergessen. Der Schnittwundenschmerz ist stärker als der Kopfschmerz und unser Gehirn beschäftigt sich nun ausschließlich mit der Bewältigung dieser Schmerzsituation.

Eine sicherlich nicht zu empfehlende Möglichkeit, seine Kopfschmerzen loszuwerden, wäre somit, sich einfach mit dem Hammer auf den Daumen zu hauen. Bei der Akupunktur macht man sich jedoch ein solches Ablenkungsmanöver zu Nutze: Die feinen Nadelstiche in die Haut „wecken" die Endorphine, die so für den schmerzstillenden Effekt der Akupunktur sorgen.

Der Gedanke an ein bevorstehendes unangenehmes Ereignis wie einen Zahnarztbesuch kann ebenfalls Schmerzen auslösen, und dass bevor der Arzt tatsächlich zur Tat schreitet. Allein durch die Vorstellung eines schmerzhaften Ereignisses werden bestimmte Gehirnareale aktiviert, die nun so tun, als sähen wir uns

---

Klaps gegen Spritzen

Vielleicht wurde Ihnen schon einmal Blut abgenommen und kurz bevor die Krankenschwester mit der Nadel zugestochen hatte, schlug sie Ihnen mit der Hand auf den Arm. Während unser Gehirn noch mit der Verarbeitung des „Schmerzklapses" beschäftigt war, kam der Nadelstich, den Sie nun nicht mehr wahrgenommen haben. Auch hier wurde das Schmerzsystem des Körpers durch ein kleines Ablenkungsmanöver überlistet.

---

dem Bohrer schon tatsächlich gegenüber. Der jetzt empfundene Schmerz ist real und nicht das Ergebnis unserer Einbildung. Lediglich der Auslöser für dieses Schmerzempfinden ist den Windungen unseres Gehirns entsprungen.

Ein solcher Schmerz ohne realen Auslöser macht durchaus Sinn: Es ermöglicht dem Menschen seit je, bestimmten Schmerzerlebnissen vorzubeugen. Hat man einmal eine schmerzhafte Erfahrung gemacht, dann ist diese in unserem Gehirn gespeichert. Stehen wir jetzt vor einer ähnlichen Situation, so tut es schon weh, bevor wir in diese erneut hineingeraten. Wir sind gewarnt und meiden eine mögliche Gefahrenquelle. Leider erspart uns dieser Schmerz aber nicht einen erforderlichen Zahnarztbesuch.

Der freie Fall

Maria stieg in das Flugzeug mit 20 anderen Springern. Manche waren völlig ruhig – die Könner! Andere waren rot vor Aufregung – die Anfänger, die von den Könnern allzeit belächelten „Tandemspringer", so auch Maria. Immer wieder die Frage: „Hast du auch den Fallschirm richtig zusammengelegt?" Immer wieder die Antwort: „Denk immer daran, auch ich will leben!" Marias Hände zitterten, waren eiskalt. Sie saß auf dem Flugzeugboden zwischen den Beinen der „Känguru-mutter", einem 1,95 Meter großen Könner, der mindestens 95 Kilogramm wog. Nicht sehr beruhigend als zusätzlicher Ballast für den Fallschirm. Marias Magen zog sich zusammen und dehnte sich wieder, ihr Herz schlug schnell und unregelmäßig. Nur ein Gedanke ging immer wieder durch ihren Kopf: Hoffentlich öffnet sich der Schirm.

Als die kleine Maschine startete, rüttelte der Motor Maria durch und die Flugangst beherrschte ihre Gedanken. Flugangst; die Angst vor der Höhe und selbst rein gar nichts tun zu können, wenn der Flieger absackt. Maria wurde immer unruhiger und ihre Augen suchten die des Könners. Gönnerhaftes Lächeln. Die Maschine hatte die nötige Höhe erreicht. Angst und Ungeduld beherrschten Marias Gefühle. Angst vor dem Sprung, aber ungeduldig in dem Wunsch, endlich den freien Fall zu erleben.

Die Seitentür des Flugzeugs wurde geöffnet und die Könner purzelten wie Smarties aus der Röhre ins Nichts. Kein Stocken vor dem Sprung, einfach „Go" und dann glücklich kurze Schreie, die unglaublich schnell verhallten. Jetzt war Maria dran. Der Könner schob Maria auf dem Boden sitzend vor sich in Richtung geöffnete Seitentür. „Eins, zwei, drei – Go." Der Fall ins Nichts!

Eine Schrecksekunde, die natürliche Angst vor dem Fall, vor dem Schmerz! Und dann unbeschreiblich frei, unbeschreiblich leer, unbeschreiblich schnell! Maria schrie, bis keine Luft mehr in ihren Lungen war! Atmen, das hatte sie fast vergessen. Dann schoss der Sauerstoff in ihre Lungen und sie konnte nur noch lachen, schreien vor Glück. Eine Explosion in der Magengegend! Kein Halt und trotzdem so sicher. Der freie Fall ließ Maria alles vergessen, es gab nur diesen Moment! Sie breitete für einen kurzen Moment die Arme aus und hatte nicht mehr das Gefühl zu fallen, nur noch zu schweben.

Dann öffnete sich der Fallschirm und Maria und ihr Könner wurden mit einem Ruck in die Höhe gezogen, das Gehirn Marias setzte wieder ein. Der Schirm hatte sich geöffnet, sie war in Sicherheit. Sicherheit, die sie beim Fall völlig vergessen hatte. Ihr Herz schlug langsamer, ihr Atem war regelmäßig und sehr tief.

Der Boden kam näher und sie konzentrierte sich auf die Landung. Am Boden angekommen spürte sie weder Kälte noch Wärme. Maria war nicht fähig ruhig zu stehen, sie redete nur wirres Zeug, lachte und schaute ungläubig in den Himmel, rannte von einem zum anderen und wollte jeden davon überzeugen, dass sie nie etwas Genialeres erlebt hatte.

Haben Sie – allein beim Lesen von Marias Sprungerfahrung – feuchte Hände bekommen? Es hört sich ganz so an, als hätte Maria eine Droge genommen, die sie in diesen absoluten Rauschzustand versetzt hat. Doch die Ursache für ihre euphorische Stimmung war kein künstliches Rauschmittel, sondern ein Dopingmittel, das der Körper selbst produzieren kann: die Endorphine.

Die Endorphine sind nicht nur zur körpereigenen Schmerzbekämpfung wichtig, als kleinen Nebeneffekt können sie auch regelrecht „high" machen. Doch bevor die Endorphine auf den Plan treten, müssen zunächst weniger angenehme Gefühle durchlebt werden. Daher treffen wir kurz vor dem freien Fall einen alten Bekannten wieder, das „Stress- und Panikhormon" Adrenalin. Vor dem Sprung in die Tiefe machen sich – zumindest beim ersten Mal – Angst und Panik in unserem Körper breit.

Die hiervon begleitete geballte Ausschüttung von Adrenalin sorgt dafür, dass wir die Hose ziemlich voll haben. So vermindert das Adrenalin die Speichelproduktion und entzieht Magen und Haut Blut: trockener Mund, flauer Magen sind die Folge. Die Atmung intensiviert sich, Sauerstoff wird vermehrt ins Blut transportiert. Das Herz schlägt mit circa 150 Schlägen pro Minute und pumpt 15 Liter in der Minute durch die Adern (also ähnliche körperliche Zustände wie bei einem Orgasmus). Kurz vor dem Sprung hat der Adrenalinspiegel seinen Höchstwert erreicht und macht sich durch seine körperlichen Auswirkungen bemerkbar: das Herz rast, heftiges Atmen, feuchte Hände – also Panik pur.

Doch bereits kurz nach dem Sprung wird das Adrenalin von einer anderen Gruppe Botenstoffe verdrängt, die nun das Heft in die Hand nehmen und Regie über unseren Körper führen: die Endorphine. Sie lassen uns nicht nur Schmerzen leichter ertragen, sondern sie stellen unsere Emotionen vom Zustand „panische Angst" auf „absolut euphorisch" um (falls man sich vor dem Sprung vor Aufregung auf die Zunge beißt, so wird man dies in jenem Moment sicherlich gar nicht spüren).

Unterstützt werden die Endorphine in ihrer berauschenden Wirkung häufig von dem „Liebeshormon" Phenylethylamin, welches unter anderem im Blut von Fallschirmspringern kurz nach erfolgreicher Bodenlandung nachgewiesen werden konnte.

Ohne Fleiß kein Preis

Die berauschende Wirkung von Endorphinen lässt sich leicht erklären: Sicher haben Sie schon einmal gehört, dass eine Nebenwirkung des Schmerzmittels Morphin eine gesteigerte Euphorie (Hochgefühl) ist. Der Patient empfindet nach Verabreichung von Opiaten ein Gefühl der Schwerelosigkeit und des Wohlbefindens, fast so als sei er in Wattebäuschchen gepackt.

Besonders viele Opiatrezeptoren befinden sich unter anderem im Mandelkern, der entscheidend an der Entstehung von Gefühlen beteiligt ist. Durch die Aktivierung der hier sitzenden Opiatrezeptoren wird unsere Bewertung von Gefühlen maßgeblich beeinflusst und unsere Empfindungen werden durch die Opiateinnahme verändert. Zudem wird vermehrt Dopamin ausgeschüttet, welches unser Belohnungssystem im Gehirn stimuliert. Durch das zusätzliche „Gefühlsbonbon" fühlen wir uns jetzt einfach besser und sind zufriedener. Das Verlangen, diesen Zustand immer wieder zu erleben, kann schließlich zu einer Abhängigkeit nach solchen schmerzstillenden Mitteln führen. Und genau diese Wirkungen – Euphorie und Sucht – können auch die körpereigenen Opiate, die Endorphine, auslösen. Wer sich einmal mit dem Fallschirm aus Schwindel erregender Höhe in die Tiefe gestürzt hat, der möchte dies in aller Regel noch einmal tun, einfach um dieses absolute Glücksgefühl, diesen „Endorphin-Kick", erneut zu erleben.

Ein anderes Beispiel der Rauschwirkung von Endorphinen ist das so genannte Runner's High, was soviel wie „der Rausch des Läufers" bedeutet. Ausdauersportler wie Langstreckenläufer unter Ihnen kennen dieses Gefühl: Nach einer gewissen Zeit fangen die Füße an zu schmerzen und Sie fühlen sich körperlich völlig erschöpft und ausgelaugt – Sie möchten am liebsten aufgeben. Doch mit einer kurzen zeitlichen Verzögerung stellt sich plötzlich ein Zustand des absoluten Glücks ein und Sie haben das Gefühl, noch Stunden weiterlaufen zu können. Also auch hier steht zunächst eine körperliche Anspannung oder Erschöpfung vor dem Erleben des Kicks. Wer zu früh aufgibt und sich im Moment der totalen Erschöpfung oder Anspannung nicht weiterquält, kommt nicht in den berauschenden Genuss der Endorphinwirkung.

Fast ist es so, als hätte diese biologische Hürde ihre Absicht – „ohne Fleiß kein Preis." Mit der Endorphinausschüttung ist neben der Schmerzunterdrückung ein Glücksgefühl verbunden. Extremsportler suchen dieses körpereigene Doping immer wieder und werden regelrecht süchtig nach diesem Glückszustand, der sich bei körperlicher Erschöpfung einstellt. Dann reicht auch irgendwann kein Triathlon mehr, sondern es muss ein Triple-Triathlon sein: Dreimal die Triathlon-Tortur hintereinander. Die Sucht nach dem „Endorphin-Rausch" wird durch immer anstrengendere Herausforderungen befriedigt, die Dosis der körpereigenen Droge muss erhöht werden.

Und genau hier liegt die Gefahr bei dieser Endorphin-Sucht: Durch die schmerzstillende Wirkung nimmt der Sportler die Erschöpfungssignale seines Körpers nicht mehr wahr. Dies kann die Ursache von plötzlichen Kreislaufzusammenbrüchen bis hin zum Herztod sein.

Bei der Geburt werden ebenfalls Endorphine ausgeschüttet, um die Geburtsschmerzen für die werdende Mutter erträglicher zu machen. Da der schmerzstillende Endorphinrausch, der die Wehen erträglich macht, etwa einen Tag nach der Niederkunft wieder abgeebbt ist, können bei der jungen Mutter regelrechte Entzugserscheinungen auftreten. Der Körper verlangt weiterhin nach dieser berauschenden Substanz, und da ihm dieser Wunsch nicht erfüllt wird, können Angstzustände bis hin zu Depressionen auftreten. Diese Depression nach der Entbindung wird als Wochenbettdepression oder „Baby blues" bezeichnet.

BERAUSCHENDE MOLEKÜLE

Der Weinstock trägt drei Trauben:
die erste bringt die Sinneslust,
die zweite den Rausch,
die dritte das Verbrechen.
(Epiktet, griechischer Philosoph)

Künstliche Gefühle

Wir haben gesehen, dass die körpereigenen Botenstoffe die biochemischen Vermittler unserer Gefühlslage sind. Sie sind es, die in bestimmten Lebenssituationen vermehrt ausgeschüttet werden und so eine körperliche Reaktion auslösen. Gewissermaßen sind sie die körperlichen Spiegelbilder unserer Empfindungen. Schon seit Jahrtausenden nutzt der Mensch Drogen, die bestimmte chemische Botenstoffe enthalten, als Arzneimittel. Viele der körpereigenen Gefühlsmoleküle können heute in Form von Medikamenten oder Nahrungsergänzungsmitteln dem Körper künstlich zugeführt werden. Hierdurch lässt sich ein Mangel an einem bestimmten Botenstoff ausgleichen. Andere Medikamente wiederum enthalten Substanzen, welche die Wiederaufnahme des Wirkstoffes oder seinen chemischen Abbau blockieren. Hierdurch kann die Menge des entsprechenden Moleküls ebenfalls künstlich erhöht werden. Andere medizinische Wirkstoffe wiederum hemmen die Freisetzung eines bestimmten Botenstoffes und vermindern dadurch seine Konzentration im Körper.

Die künstliche Verabreichung der Botenstoffe ermöglicht heute vielen Menschen ein unbeschwertes Leben, das ohne diese Substanzen gar nicht möglich wäre.

Der Diabetiker kann sich täglich exakt diejenige Menge an Insulin zuführen, die sein Körper benötigt, um einem Zuckerüberschuss Einhalt zu gebieten. Die synthetischen Verbindungen lösen annähernd die gleichen körperlichen Reaktionen aus wie ihre natürlichen körpereigenen Kollegen.

Künstliche Belohnung

Die Bilder der Positronen-Emissions-Tomographie (PET) zeigen, dass alle abhängig machenden Drogen das gleiche Belohnungssystem im Gehirn aktivieren. Durch biochemische Untersuchungen konnte zudem gezeigt werden, dass Rauschmittel dieses Ballungsgebiet mit dem Signalstoff Dopamin überfluten. Das Verlangen nach dieser künstlichen Belohnung kann schließlich zur Abhängigkeit führen.

Die medikamentöse Beeinflussung des Botenstoffhaushaltes, sei es durch eine direkte oder indirekte Erhöhung der Konzentration eines molekularen Nachrichtenüberbringers oder durch seine Unterdrückung, hat neben den hiermit verbundenen körperlichen Reaktionen natürlich auch Einfluss auf unsere Stimmung. So führt die künstliche Gabe von Präparaten, welche die Wiederaufnahme von Serotonin im Gehirn hemmen, zu einer Verbesserung der Stimmung. Diesen Effekt macht man sich unter anderem bei der Behandlung von depressiven Menschen zu Nutze, bei denen durch die Einnahme dieser Medikamente wieder ihre Lebensfreude geweckt werden kann. Kurzum: Was dem Körper fehlt, kann man ihm häufig von außen zuführen und somit eine bestimmte Mangelerkrankung und ihre Symptome behandeln.

Doch oft missbraucht der Mensch Substanzen, die Einfluss auf den Botenstoffhaushalt nehmen, auch für nichtmedizinische Zwecke. Diese Substanzen bezeichnet man in der Umgangssprache als Drogen (im eigentlichen Sinne des Wortes ist jede Substanz, die eine Veränderung im Organismus hervorruft, eine Droge, also auch Medikamente).

Durch die Einnahme von Drogen versucht der Mensch seinen geistigen Zustand zu verändern, um beispielsweise Probleme wie Leistungsdruck und Stress zu entfliehen. Drogen machen letztlich nichts anderes im Körper als Medikamente, die den Botenstoffhaushalt wieder auf Vordermann bringen: Sie erhöhen die Konzentration eines bestimmten Moleküls oder unterdrücken seine Freisetzung. Hierdurch werden bestimmte körperliche und emotionale Reaktionen ausgelöst, die eigentlich den körpereigenen Gefühlsboten vorbehalten sind. Jede Droge entfaltet im Gehirn eine andere Wirkung, wodurch sich jeweils unterschiedliche Symptome des Drogenkonsums ergeben.

Rauschmittel	Entfaltet seine Rauschwirkung über:
Alkohol	Aktivierung der Glutamat-Rezeptoren, Hemmung der GABA-Rezeptoren
Cannabis	Direkte Beeinflussung bestimmter Gehirnregionen wie des Zwischenhirns und Freisetzung von Serotonin
Opium	Hemmung der Schmerz-Rezeptoren
Kokain	Erhöhung der Dopamin- und Noradrenalin-konzentration
Ecstasy/Meskalin/LSD	Erhöhung der Dopamin- und Serotonin-konzentration

Das Feinste von etwas

Erinnern Sie sich an Walt Disneys Film „Die lustige Welt der Tiere"? Hier kann man amüsiert beobachten, auf welche Art und Weise Alkohol wirkt. Die Tiere bekamen ihren Schwips durch den übermäßigen Verzehr von Fallobst, das Alkohol enthält, der durch den Faulprozess der Früchte entsteht. Vermutlich ist auch der Mensch in ähnlicher Weise eher zufällig auf den Geschmack von Alkohol gekommen. „Akten-kundig" wurde der Alkohol erstmals vor etwa 5000 Jahren durch die Sumerer und Ägypter, die ihn in Form von Bier konsumierten. Die Römer begannen schließlich, den Alkohol für medizinische Zwecke, beispielsweise zur Bekämpfung von Seuchen, zu verwenden. Der Überlieferung nach mussten die Soldaten Cäsars täglich einen Liter Wein trinken, um ansteckenden Krankheiten vorzubeugen (ein Befehl, den die Soldaten sicherlich gerne ausgeführt haben). Seit dem späten Mittelalter werden al-koholische Zubereitungen destilliert, um so stärkere alkoholische Getränke zu ge-winnen. Das Wort „Alkohol" stammt aus dem Arabischen und bedeutet so viel wie „das Feinste von etwas". Alkoholische Getränke werden jedoch nicht nur wegen ihres feinen Geschmacks, sondern vielmehr auch wegen ihrer Wirkung getrunken.

Der Alkohol gelangt durch Magen und Dünndarm in die Blutgefäße und von dort aus auch in die Leber, wo ein Teil des Alkohols „verbrannt" wird. Der restliche Alkohol findet mit dem Blutstrom seinen Weg zu den verschiedenen Organen und somit auch ins Gehirn. Hier trifft er auch auf die unzähligen Nervenzellen mit ihren Kontaktstellen, deren Kommunikation der Alkohol nun – in Abhängigkeit von der Konzentration – zunehmend beeinflusst.

In geringen Konzentrationen hat Alkohol durchaus einen positiven Einfluss auf unser Gehirn. Bei Promillewerten bis zu 0,25 Promille (Promille = Tausendstel, 0,25 Promille bedeutet 0,25 Tausendstel des Körpergewichts) wirkt der Alkohol aktivierend auf die Nervenzellen des Gehirns und stimuliert so unsere Gehirnfunktionen. Wir sind nun wacher, aufmerksamer, können uns besser konzentrieren und sind auch kreativer. Bei höheren Alkoholblutwerten kehrt sich dieser aktivierende Effekt des Alkohols um: Bei Promillewerten zwischen 0,8 und 1,0 beginnt der Alkohol die Funktion der Nervenzellen zu hemmen. Hierzu stimuliert er die Freisetzung des hemmenden Botenstoffes GABA, der nun die Reizweiterleitung im Gehirn drosselt: Wir werden träge und unsere Aufnahmebereitschaft und Reaktionsfähigkeit lassen langsam aber sicher nach. Teilweise blockiert der Alkohol die Reizweiterleitung auch höchstpersönlich, wodurch die Hemmung des Nachrichtenversands im Gehirn noch verstärkt wird. Bei 0,8 Promille ist die Reaktionszeit um etwa 35 Prozent länger als im nüchternen Zustand und das Gesichtsfeld ist um etwa 25 Prozent eingeschränkt. Weitere Folgen sind: Leichtsinn, Enthemmung und Störung der sozialen Wahrnehmungsfähigkeit.

Steigt der Alkoholpegel auf Werte über ein Promille, dann treten Sprach- und Koordinationsstörungen auf. Wir fangen zu lallen an und torkeln durch die Gegend. Jetzt sind auch diejenigen Gehirnareale in der Großhirnrinde in Mitleidenschaft gezogen, die für unsere Sprache und Bewegung zuständig sind. Zudem beeinflusst der Alkohol auch unser Seh- und Denkvermögen und wirkt auch auf diejenigen Gehirnareale ein, die unser Hungergefühl, unsere Aggressivität und unsere Sexualität steuern. Er schädigt auch das Wachheitszentrum. Die Folgen können Bewusstlosigkeit bis zum Absterben von Gehirnzellen sein. Bei größeren Alkoholmengen kommt es zudem zu einer vermehrten Freisetzung der Stresshormone, sodass wir emotional zwar ausgeglichen sind, unser Körper sich aber in einem Zustand gesteigerter Aktivität, im Stress, befindet. Bei einem Vollrausch werden Gehirnzellen abwechselnd an- und ausgeschaltet, der Stoffwechsel hoch- und runtergefahren und die Gehirnsignale so völlig durcheinander gebracht. Bei stark erhöhten Promillewerten herrscht im Gehirn ein völliges Nachrichtenchaos.

Ab etwa 3,0 Promille beginnt die Lähmung lebenswichtiger Körperfunktionen, da die Gehirnregionen, welche die Tätigkeit der inneren Organe steuern, ihre Funktion einstellen. Dies kann bei starken Rauschzuständen zum Tod führen. Bei jedem Rausch sterben viele Gehirnzellen ab. Bei ständigem Alkoholkonsum kommt es zu einer allmählichen Schrumpfung des Gehirns, die lange Zeit unbemerkt bleibt, da wir einen riesigen Pool an Gehirnzellen besitzen.

Die Aufgaben der abgestorbenen Zellen werden von „Ersatzzellen" übernommen, die ihre neuen Aufgaben jedoch erst noch lernen müssen. Doch der Vorrat an solchen Reservezellen nimmt durch regelmäßigen Alkoholkonsum stetig ab, bis unsere stille Reserve an grauen Zellen ausgeschöpft ist.

Die berauschende Wirkung des Alkohols ist jedoch nur von kurzer Dauer. Mit dem Abbau des Alkohols in der Leber setzt langsam eine unangenehme Wirkung ein. Das führt dann schließlich zu den bekannten Entzugserscheinungen wie Zittern, Schwitzen, Erbrechen und Kreislaufstörungen. Eine leichte Entzugserschei-

---

Korsakow-Syndrom

Die schwerste Form der Gehirnschädigung durch Alkohol wird als Korsakow-Syndrom bezeichnet. Benannt wurde sie nach dem russischen Psychiater Sergej Korsakow, der diesen Zustand erstmals 1854 beschrieb. Durch das Absterben bestimmter Gehirnregionen erleidet der Betroffene einen weitgehenden Gedächtnis- und Orientierungsverlust.

---

nung ist der Kater, der je nach Situation mit Kopfschmerz, Unlust, Unruhe, Gereiztheit und Verstimmung einhergeht. Ursache für den „dicken Kopf" nach einer durchzechten Nacht ist ein Abbauprodukt des Alkohols, das äußerst giftige Acetaldehyd.

Al-haschisch

Cannabis gehört zu den ältesten bekannten Rauschmitteln. Die Wirkung dieser Droge soll bereits im 6. Jahrtausend vor Christus bekannt gewesen sein. Die getrockneten Blätter und Blüten der Cannabispflanze, einer indischen Hanfpflanze, bezeichnet man als Marihuana. Haschisch hingegen wird aus dem gepressten Harz der Hanfblüte gewonnen (der Name Haschisch stammt übrigens aus dem Arabischen: „Al-haschisch" bedeutet so viel wie Gras oder Kraut). Sowohl Haschisch als auch Marihuana werden meistens geraucht, entweder pur oder mit Tabak gemischt. „Joint" nennt man die selbst gedrehte Cannabis-Zigarette. Daneben wird Haschisch manchmal in Plätzchen oder Kuchen gegessen oder in Tee aufgelöst getrunken.

Die erste Erwähnung der Droge in der Literatur findet sich in einem Arzneimittelbuch des chinesischen Kaisers Sheng-Nung. Er empfahl bereits 2737 vor Christus die Droge gegen Verstopfung, Rheuma, Malaria und als menstruationsförderndes Mittel. Cannabis wirkt zudem schmerzlindernd, entspannt die Muskeln, hemmt Entzündungen und wirkt beruhigend. Am bekanntesten ist Cannabis jedoch als Rauschmittel. Das Rauchen von Marihuana ruft ein Gefühl der Euphorie hervor. Man hält sich für intelligenter, brillanter und tiefsinniger. In Wahrheit jedoch sind die Gehirnfunktionen unter Cannabiseinfluss stark eingeschränkt: Die Aufnahmefähigkeit sinkt und das Erinnerungsvermögen wird schlechter. Ab einer bestimmten Dosis können Sinnestäuschungen, Halluzinationen und Störungen der Feinmotorik auftreten.

Der berauschende Wirkstoff im Cannabis ist das THC, das Tetrahydrocannabinol. Der THC-Gehalt im Haschisch beträgt zwei bis acht Prozent und ist etwa fünf- bis zehnmal so hoch wie im Marihuana. THC wirkt direkt auf das Gehirn und beeinflusst so auch Gefühle und Stimmungen. Cannabis entfaltet seine Wirkung vor allem in der Großhirnrinde, dem Hypothalamus und dem Kleinhirn. Das Kleinhirn steuert die Koordination unserer Bewegungen, der Hypothalamus reguliert unseren Hormonhaushalt sowie die Körpertemperatur, und die Großhirnrinde ist der Sitz unserer Denk-, Sprech- und Lernfähigkeit. Das THC-Molekül dockt in diesen Regionen an bestimmte Rezeptoren an und beeinflusst so die Informationsübertragung zwischen den Nervenzellen. Darüber hinaus finden sich auch Andockstellen für das THC im Hypocampus und im limbischen System, Gehirnarealen, die für unser Gedächtnis und unsere Gefühle verantwortlich sind. Das könnte erklären, warum unter Cannabiseinfluss das Erinnerungsvermögen nachlässt und die Gefühle freien Lauf nehmen.

Durch den stimulierenden THC-Effekt auf die Nervenzellen wirkt Cannabis euphorisierend. Oft kommt es zu einer Art „Lachkoller", man fühlt sich entspannt, innerlich gelassen und das Selbstwertgefühl steigt.

THC stimuliert zudem die Freisetzung des Neurotransmitters Serotonin, der so einen weiteren Beitrag zum Gute-Laune-Gefühl beim Cannabis-Konsum leistet. Bei höherer Dosis kann es dann jedoch unangenehm werden: Dann sind Angstzustände, Wahnvorstellungen und Unruhe bis hin zur Todesangst möglich.

THC beeinflusst auch die Konzentration einiger Hormone. So ist bei Cannabisraucherinnen der Menstruationszyklus oft gestört. Bei Männern kann die Bildung des Sexualhormons Testosteron vermindert sein. Folgen sind weniger Lust auf Sex, das Auftreten von Impotenz oder eine Verzögerung der pubertären Entwicklung. Körperlich steigt bei Cannabis-Konsum der Puls, die Körpertemperatur sinkt, Hals und Rachen werden trocken, manchmal werden Hunger und Durst größer, die Augen röter, der Gang unsicher. Allerdings ist THC mittlerweile in der Medizin ein

---

Körpereigenes Gras

1992 wurde ein körpereigenes Cannabinoid entdeckt: das Anandamid. Anandamid, dessen Name aus dem Sanskrit für „Glückseligkeit" abgeleitet ist, wirkt in exakt der gleichen Weise wie Haschisch. Nur produziert der Körper diese Substanz in Eigenregie. Geringe Mengen an Anandamid sind auch in Schokolade enthalten.

gefragter Wirkstoff: Wegen seines appetitanregenden Effektes wird er in Pillen-form beispielsweise Aidskranken verschrieben, als Schmerzmittel und gegen Schwindel und Erbrechen auch an Krebskranke abgegeben.

Der Saft des Mohns

Als Opiate bezeichnet man die chemischen Inhaltsstoffe des Opiums, dem luftge-trockneten Saft der Mohnblume. Die bekanntesten Vertreter dieser Substanzen sind das Morphin und das Kodein.

Schon vor mehr als 6000 Jahren stellten die Sumerer fest, dass die Mohnblume ein wirksames Mittel zur Schmerzbekämpfung ist und zudem eine beruhigende und schlaffördernde Wirkung besitzt. Später fand man heraus, dass Opiate auch einen Hustenreiz unterdrücken können. Im Jahre 1804 isolierte Friedrich Wilhelm Setürner den Hauptwirkstoff des Opiums in Reinform und nannte ihn in Anleh-nung an den griechischen Gott Morpheus „Morphium". Morphium wirkt ungefähr 100-mal stärker als das Rohopium. Neben dem Morphium enthält die Mohn-pflanze noch eine ganze Palette an weiteren medizinisch wirksamen Verbindun-gen, wie das Kodein, das auch heute noch als Bestandteil in einigen Mitteln gegen Husten ist. Ihre ausgesprochen ähnliche chemische Struktur ermöglicht es den Opiaten, an die Rezeptoren von Endorphinen im Körper anzubinden. Wie die Endorphine hemmen auch die Opiate die Weiterleitung einer Schmerzmeldung zum Gehirn. Im Deutsch-Französischen Krieg und im Ersten Weltkrieg standen unzählige Soldaten unter dem Einfluss von Morphium, das sie zur Selbstverabrei-chung bei einer Verletzung bei sich trugen.

Im Jahre 1875 wurde erstmals ein künstliches Opiat, das Heroin, synthetisiert und wenige Jahre später als Hustenmittel verwendet. Man glaubte damals, dass das Heroin, im Gegensatz zu dem natürlich vorkommenden Opium, nicht süchtig macht. Dass dies ein Trugschluss war, sollte sich einige Jahre später herausstellen, als sich die Meldungen über Abhängigkeiten von diesen Hustensäften häuften. In höheren Dosierungen kann zudem ein Atemstillstand eintreten (hierbei wird das Atemzentrum im Gehirn blockiert, sodass keine Atmung mehr möglich ist). Diese

dramatischen Nebenwirkungen führten schließlich dazu, dass heroinhaltige Hustenmittel nicht mehr verkauft wurden. Dennoch verschwand das Heroin nicht
ganz von der Bildfläche und fand seinen Weg in die Drogenszene als Suchtmittel.

Mit der Einnahme von Opiaten nimmt die Fähigkeit gewisser Enzyme zu,
Opiatmoleküle zu spalten. Durch diese Anpassungsvorgänge kommt es zur Ge-
wöhnung. Der Drogensüchtige ist gezwungen, die Dosis immer wieder zu erhöhen,
um die gleiche Wirkung zu erzielen. Die körpereigene Endorphinsynthese im Gehirn wird unterdrückt. Gleichzeitig verdrängen die von außen zugeführten Opiate
die Endorphine von ihren Rezeptoren und ahmen ihre Funktionsweise nach.

Die heilige Pflanze der Inka

Kokain wird aus dem südamerikanischen Kokastrauch gewonnen, der schon von
den Inka als heilige Pflanze verehrt wurde. Im Jahre 1860 gelang es erstmals, das
Kokain in Reinform zu isolieren, und so fand es in der Medizin eine breite Verwendung als Arzneimittel zur Heilung von Depressionen, Asthma und Überge-
wicht sowie als Ersatzdroge zur Entwöhnung von Alkoholikern. Auch Sigmund
Freud teilte die allgemeine Begeisterung für dieses vermeintliche Allheilmittel. Er
nahm es jahrelang selbst und verschrieb es seinen Patienten.

Kokain hat eine ähnliche Wirkung wie die körpereigenen Stresshormone Adrenalin und Noradrenalin und steigert daher unter anderem die Herzfrequenz und
den Blutdruck. Zudem wirkt das Kokain auf die Nervenbahnen und Gehirnregionen ein, die Dopamin als Neurotransmitter verwenden. Kokain verhindert die
Wiederaufnahme des Dopamins in die Synapsen, nachdem der „Klippenspringer"
Dopamin einen elektrischen Reiz weitergeleitet hat. Daher kommt es nach Einnahme von Kokain zu einer Dauererregung von Dopamin und die Nervenzellen im

Gehirn feuern nun ununterbrochen, was ein Gefühl der Stärke und Euphorie auslöst. Menschen unter Kokaineinfluss fühlen sich unschlagbar. Auch kommt es zu
Veränderungen der motorischen Bewegungen, die sich unter anderem in einer gesteigerten Aktivität und nervösen Ticks äußern. Kokainkonsum verursacht außer-
dem Krämpfe und Zittern.

Kokain ist sicherlich der populärste Vertreter einer ganzen Reihe von Substanzen, die unseren Körper in einen Zustand der erhöhten Leistungsbereitschaft versetzen: die so genannten Amphetamine oder Aufputschmittel.

Amphetamine wurden in den dreißiger Jahren in die Medizin eingeführt.
Besonders beliebt waren diese Aufputschmittel während des Zweiten Weltkriegs,
um die Fliegerbesatzungen während der anstrengenden Flugeinsätze wach zu
halten.

Die Amphetamine ähneln in ihrer chemischen Struktur dem Noradrenalin, das
entscheidend an Stressreaktionen beteiligt ist. So sind Amphetamine in der Lage,
die Gehirnaktivität zu steigern und das sympathische Nervensystem zu stimulieren. Die Amphetamine sorgen dafür, dass alle gespeicherten körpereigenen fit machenden Botenstoffe aus ihren Speichern freigesetzt werden und so die Kraft
gebenden Körperreserven ausgeschöpft werden. Der Körper befindet sich jetzt in
einem künstlich erzeugten Stresszustand, der die Leistungsfähigkeit begünstigt
(Sie erinnern sich: Adrenalin und Noradrenalin sorgen dafür, dass unser Körper
auf eine Kampf- oder Fluchtreaktion eingestellt ist, und Dopamin ist ein Botenstoff, der unter anderem unseren Verstand schärft).

Heute tauchen die Amphetamine auch immer wieder im Zusammenhang mit
Doping im Sport auf. Die Amphetamingabe steigert die Leistungsbereitschaft des
Körpers und erhöht die Konzentrationsfähigkeit. Jetzt hat der gedopte Athlet die
besten körperlichen und geistigen Voraussetzungen, um besonders schnell und
lang zu laufen, weit zu springen oder schwere Gegenstände zu werfen.

Gleichzeitig entdeckte man die Suchtgefahr, die von diesen Substanzen aus-
geht, und fand heraus, dass es bei Missbrauch zu schwerwiegenden geistigen
Störungen kommen kann. Amphetamine wirken im Gehirn auf die gleichen
Nervenbahnen und Gehirnareale wie das Kokain. Amphetamine können in
dopaminhaltige Nervenzellen eindringen und dort eine Dopaminausschüttung
auslösen. Dadurch kommt es zu einer Steigerung der dopaminabhängigen Er-
regungsübertragung.

Gefährliche Pillen

Die weithin als Ecstasy (auch XTC oder einfach „E" genannt) bekannte Designerdroge Methylendioxymethamphetamin, kurz MDMA, ist ein chemischer Verwandter der Amphetamine. In den letzten Jahren ist Ecstasy zu einer weit verbreiteten Partydroge geworden.

MDMA wurde 1912 als Appetitzügler patentiert. Mitte der siebziger Jahre allerdings begannen amerikanische Psychiater MDMA zunehmend als unterstützende Maßnahme bei ihren Therapien einzusetzen. MDMA erleichterte die Behandlung, indem es die Selbstbeobachtung des Patienten steigerte. Unter Ecstasy fühlt man größere Sympathie für sich und andere. Man fühlt sich euphorisch, wird offener und ausgelassener. Gleichzeitig mindert Ecstasy innere Anspannung und Angstzustände.

Die Einnahme von Ecstasy führt zu einer augenblicklichen Ausschüttung von Serotonin und Dopamin im Gehirn. Serotonin ist unter anderem maßgeblich an der Regulation unserer Stimmungslage beteiligt. Dopamin sorgt dafür, dass wir geistig sowie körperlich fit sind und vermittelt uns das Glücksgefühl der Belohnung. So macht sich nach Einnahme von Ecstasy ein Gefühl der körperlichen sowie geistigen Unschlagbarkeit im Körper breit, die sexuelle Lust ist gesteigert und das Gefühl der Müdigkeit wird unterdrückt. Da durch das Ecstasy alle verfügbaren Serotonin- und Dopaminspeicher gewissermaßen auf einen Schlag geleert werden, kommt es kurz darauf zu einem akuten Mangel an diesen beiden Botenstoffen. Setzt man Ecstasy ab, so folgt der stimulierenden Wirkung dieser Droge oft eine tiefe Niedergeschlagenheit, begleitet von einer völligen körperlichen Erschöpfung.

Die so genannten Halluzinogene bilden eine weitere recht große Gruppe von gehirnaktivierenden Substanzen. Chemisch kann man sie in zwei große Gruppen unterteilen, deren jeweils wichtigste Vertreter das LSD (Lysergsäurediethylamid) bzw. das Meskalin sind. LSD, auch Acid genannt, ist ein künstlich hergestellter Abkömmling der natürlich vorkommenden Lysergsäure, die in einer Pilzart, dem Mutterkorn, enthalten ist. Meskalin ist hingegen als natürlicher Wirkstoff im Peyotl-Kaktus enthalten. Diese Kaktusart war bereits den Azteken heilig und wird auch heute noch von einigen Indiovölkern bei religiösen Ritualen verwendet.

> **„Lucy in the Sky with Diamonds"**
>
> Einige Songs der Beatles sollen ihre Entstehung der berauschenden Wirkung von LSD verdanken. Der Name dieser Droge, so orakelt man, spiegelt sich auch im Titel eines ihrer Stücke wider: „Lucy in the Sky with Diamonds".

LSD erlebte seine Blütezeit während der Hippiebewegung, da der Droge eine bewusstseinserweiternde Wirkung zugedichtet wurde. In dieser Zeit wurden auch viele Lieder unter dem Einfluss dieser Droge komponiert, da sie die Kreativität fördert.

Man nimmt an, dass LSD seine Wirkung über die Verdrängung von Serotonin entfaltet, was zu einem Serotoninmangel im Gehirn führt. Durch die Abnahme dieses Botenstoffes im Gehirn weicht eine zufriedene Stimmung einer geistigen Unruhe. Da das LSD zudem in seiner Struktur sehr den Botenstoffen Dopamin, Noradrenalin und Serotonin ähnelt, imitiert es neben deren Freisetzung auch deren Wirkungen, was den LSD-Rausch noch verstärkt. Unter LSD-Einfluss kommt es daher zu einem erhöhten Wachheitsgrad, einer verbesserten Aufnahmebereitschaft und gleichzeitig zu Wahrnehmungsveränderungen. So werden nach Einnahme von LSD häufig Synästhesien empfunden, die den Eindruck erwecken, als ob sich Informationen aus Hör-, Seh-, Tast- und Geruchssinn überlagern würden. Farben werden dann plötzlich „gehört" oder „geschmeckt".

Ein kleiner Trost zum Schluss

Wir haben gesehen, wie kleine Moleküle auf Befehl der Kommandozentrale unter unserer Schädeldecke in unseren Körper entsandt werden und so dem ganzen Organismus das „Kopfgefühl" vermitteln. In der Regel tun sie dies auf natürliche Weise und ganz von alleine. Wir haben es aber auch selbst in der Hand, unsere Gefühle zu beeinflussen, beispielsweise durch unser Denken, unsere Vorstellungen und Phantasien und auch durch eine bewusste Stimulation unserer Sinne. So kann der Genuss eines Musikstückes unsere Stimmung ebenso heben wie ein angenehmer Geruch oder ein schöner oder gar erregender Anblick. Und: Wer mit guter Laune und einer positiven Einstellung in den Tag startet, wird von diesem Gefühl (auch biochemisch) in aller Regel den ganzen Tag begleitet.

Manchmal muss man den molekularen Boten jedoch künstlich auf die Sprünge helfen oder aber ihren Elan etwas bremsen. Dies kann man unter anderem durch die Einnahme bestimmter Nahrungsmittel oder Medikamente erreichen, die unseren molekularen Gefühlshaushalt wieder auf Vordermann bringen. Aber auch Drogen wirbeln unseren Gefühlsbotenhaushalt ordentlich durcheinander und lösen so ihre berauschende Wirkung aus.

Mit der künstlichen Beeinflussung unseres molekularen Haushaltes verändert sich automatisch unsere Gefühlslage, da die chemischen Gefühlsboten ihre Wirkung auch im Gehirn selbst entfalten. Man könnte also glauben, dass sich alle Gefühle je nach Belieben durch bestimmte Medikamente auslösen lassen und sich so immer zum gewünschten Zeitpunkt einstellen. „Ich hätte Lust, mich mal wieder richtig zu verlieben, ich glaube, ich nehme mal eine Liebespille", könnte es dann heißen – blaue Pillen, um glücklich zu sein, rote für guten Sex, grüne, um sich zu verlieben. Sicherlich gibt es hierzu den ein oder anderen Ansatz, wie die Medikamente gegen Depressionen, zur Unterdrückung von Schmerzen oder gegen Angstzustände, die genau das tun: unsere Gefühle gezielt künstlich beeinflussen.

Aber zum Glück sind wir von „Gefühlsmedikamenten" für jede Lebenssituation noch weit entfernt. Denn: Emotionen lassen sich nicht allein auf biochemische oder physikalische Prozesse reduzieren. Das Wechselspiel aller molekularen Botenstoffe und deren gegenseitige Beeinflussung ist viel zu kompliziert, als dass man es auf einen einfachen Nenner bringen könnte. Die drei Pfund schwere Gefühlswelt unter unserer Schädeldecke ist so komplex, dass es mit Sicherheit noch sehr lange dauern wird, bis man das Geheimnis um die Entstehung unserer Gefühle vollständig entschlüsselt hat. Und vielleicht hat die Natur es auch so eingerichtet, dass wir die Wunderwelt der Emotionen nie vollständig aufklären werden und der Zauber der Gefühlswelt für uns immer ein unvollständiges Puzzle bleiben wird. Oder wie es der französische Philosoph und Schriftsteller Voltaire ausdrückte:

Sobald sich Gefühle
in festen Begriffen ausdrücken lassen,
hat ihre Stunde geschlagen.

LITERATURHINWEISE

Ackermann, L., Urfer, R., Müller, B.: Sinn-Salabim - Tasten, Hören, Sehen. Verlag an der Ruhr, Mülheim 1993

Baker, R.: Krieg der Spermien. Bastei-Verlag Gustav H. Lübbe, Bergisch Gladbach 1997

Basiswissen Biologie 6: Hormone, chemische Botenstoffe. Spektrum Akademischer Verlag, Heidelberg 1993

Bäumler, E.: Die großen Medikamente. Gustav Lübbe Verlag, Bergisch Gladbach 1992

Berger. R.: Düfte – Abenteuer für Nase und Gefühl. S. Hirzel Verlag, Stuttgart 1999

Bolz, A.: Sex im Gehirn. B. Martin-Vertriebsverlag, Südergellersen 1992

Bosse, I.: Computer erkennt Gefühle. MorgenWelt Medienproduktion, Hamburg 1998

Carper, J.: Wundernahrung fürs Gehirn. Econ + List Taschenbuchverlag, München 2000

Cherniske, S.: DHEA. Die Pille für ein langes Leben. Rowohlt Verlag, Reinbek bei Hamburg 1998

Crenshaw, T. L.: Die Alchemie von Liebe und Lust. DTV, München 1999

Cytowic, R. E.: Farben hören, Töne schmecken. DTV, München 1996

Damasio, A. R.: Descartes' Irrtum. Fühlen, Denken und das menschliche Gehirn. DTV, München 1998

Duras, M.: Der Schmerz. DTV, München 1999

Eccles, J. C.: Das Gehirn des Menschen. Piper Verlag, München 1990

Ermisch, A.: Gehirne und Gefühle. Aulis Verlag, Köln 1985

Fischer, E. P.: Die Welt im Kopf. Faude, Konstanz 1985

Freye, E.: Kokain, Ecstasy und verwandte Drogen. Huethig Medizin, Heidelberg 1997

Gazzaniga, M. S.: The Mind's Past. University of California Press 1998

Gazzaniga, M. S.: The Split Brain In Man. Scientific American, S. 24–29, August 1967

Geo Wissen: Sinne und Wahrnehmung. Gruner+Jahr Geo-Mairs, Hamburg 1997

Goleman, D.: Emotionale Intelligenz. DTV, München 1997

Goll, W., Schwoerbel W.: Sinne, Nerven, Hormone. Cornelsen-Velhagen & Klasing, Berlin 1980

Haken, H., Haken-Krell, M.: Gehirn und Verhalten. Unser Kopf arbeitet anders, als wir denken. Deutsche Verlags-Anstalt, München 1997

Hüther, G.: Biologie der Angst. Vandenhoeck & Ruprecht, Göttingen 1997

Kast, V.: Vom Sinn der Angst. Herder Verlag, Freiburg 2000

Kautzmann, G.: Das Wunder im Kopf. Zabert Sandmann, München 1999

Kleiner, R., Ruppert, W., Stratil F. X.: Neurobiologie. Nerven, Sinne und Hormone. Mentor Verlag Dr. Rahmdohr, München 1999

Kolb, E.: Hormone - Regulatoren der Lebensvorgänge. Aulis Verlag, Köln 1985

Kopietz, G., Sommer, J., Kollars, H.: Das große Buch der Sinne. Annette Betz, Wien 2000

Kressenstein, S.: Stichwort: Hormone. Wilhelm Heyne Verlag, München 1998

Lathe, W.: Nervensystem und Sinnesorgane. Bibliographisches Institut & F.A. Brockhaus, Mannheim 2000

LeDoux, J.: Das Netz der Gefühle. Carl Hanser Verlag, München, Wien 1998

Linke, D.: Das Gehirn. C. H. Beck, München 1999

Love, S. M., Lindsey, K.: Das Hormonbuch. Fischer Taschenbuch Verlag, Frankfurt 1999

Lüllmann, H., Mohr, K., Ziegler, A.: Taschenatlas der Pharmakologie. Georg Thieme Verlag, Stuttgart 1990

Lurija, A. R.: Das Gehirn in Aktion. Rowohlt Taschenbuch Verlag, Reinbek bei Hamburg 1996

Mair, R., Pohl, J.: Was Sie schon immer über Hormone wissen wollten. Droemer Knaur Verlag, München 2000

Markowitz, H. J.: Neuropsychologie des menschlichen Gedächtnisses. Spektrum der Wissenschaft, S. 52–61, September 1996

Martin, P.: Körper-Bewusstsein. Bastei Verlag, Bergisch Gladbach 1999

Miketta, G., Tebel-Nagy, C.: Liebe & Sex – Über die Biochemie leidenschaftlicher Gefühle. TRIAS Thieme Hippokrates Enke, Stuttgart 1996

Parnefjord, R.: Das Drogentaschenbuch. Georg Thieme, Stuttgart 2000

Pert, C. B.: Moleküle der Gefühle. Rowohlt Verlag, Reinbek bei Hamburg 1999

Pierpaoli, W., Regelson, W.: Melatonin. Goldmann Verlag, München 1996

Plattig, K.-H.: Spürnasen und Feinschmecker. Springer Verlag, Berlin 1995

Pöppel, E.: Lust und Schmerz. Wilhelm Goldmann, München 1995

Popper, K., Eccles, J. C.: Das Ich und sein Gehirn. Piper Verlag, München 1998

Prescott, J. W.: Körperliche Lust und die Ursprünge der Gewalttätigkeit. The Bulletin of The Atomic Scientists, S. 10–20, 1975

Redecker, G.: Sex zwischen den Ohren. Das Gehirn als erogene Zone. Rowohlt Taschenbuch Verlag, Reinbek bei Hamburg 2000

Reitz, M.: Wie ungesund ist Sport? Pharm. Ind. 61, Nr. 7, 1999

Robert, J.-M.: Das Gehirn. Verlagsgruppe Lübbe, Bergisch Gladbach 1998

Rubner J.: Vom Wissen und Fühlen. DTV, München 1999

Sacks, O.: Der Mann, der seine Frau mit einem Hut verwechselte. Rowohlt Taschenbuch Verlag, Reinbek bei Hamburg 1998

Sahelian, R.: Melatonin. Ennsthaler, Steyr 1997

Schedlowski, M.: Streß, Hormone und zelluläre Immunfunktion. Spektrum Akademischer Verlag, Heidelberg 1994

Schmid, M., Schuler, J., Rieger, B.: Drogen. Ravensburger Verlag, Ravensburg 1999

Schmidsberger, S., Schmidsberger, P.: Guter Rat für Nerven und Seele. Cormoran im Südwest Verlag, München 1997

Simon, F.: Angst, Wut und Schmerz. Lucy Koerner Verlag, Fellbach 1998

Springer, S. P., Deutsch, G.: Linkes / Rechtes Gehirn. Spektrum Akademischer Verlag, Heidelberg, Berlin, Oxford 1995

Steckel, R.: Bewußtseinserweiternde Drogen. Werner Pieper Medienexp., Löhrbach 1999

Steiner, F., Steiner, R.: Die Sinne. Vritas Verlag, Linz 1995

Stemme, F.: Die Entdeckung der emotionalen Intelligenz. Goldmann Verlag, München 1997

Steven, P.: Wie das Denken im Kopf entsteht. Kindler, Reinbek bei Hamburg 1998

Thomas, R.: Schmerzen. Mosaik Verlag, München 1998

Von Beeck, H.: Dufte Düfte. Silberschnur Verlag, Güllesheim 1998

Wanke, K., Täschner, K.- L.: Rauschmittel: Drogen, Medikamente, Alkohol. Ferdinand Enke, Stuttgart 1998

Waterhouse, D.: Frauen brauchen Schokolade. Goldmann Verlag, München 1999

Waterhouse, J. M.; Minors, D. S.; Waterhouse, M. E.: Die innere Uhr. Hans Huber, Göttingen 1992

Wellmann J.: Das Hormone Praxisbuch. Cormoran im Südwest Verlag, München 1997

William, H. C., Ojemann G. A.: Einsicht ins Gehirn. DTV, München 1995

Wirth, N.: Ecstasy, Mushrooms, Speed und Co. Econ + List Taschenbuchverlag, München 1997

Zehentbauer, J.: Körpereigene Drogen. Artemis & Winkler Verlag, München 1997

Zimmer, K.: Gefühle – unser erster Verstand. Diane Verlag, München 1999

Sachregister

A

Acetylcholin 62

Adrenalin 62, 67, 75–82, 143 f.

Aggression 79, 95

Akupunktur 140 f.

Alkohol 102, 149 ff.

Amphetamine 156

Amygdala 13, 49,
s. a. Mandelkern

Anandamid 153

Androstenon 113 f.

Androsteron 128

Angst 53, 73 f., 95

Auge 27 ff., 108, 110

Axon 17, 58–61

B

Befruchtung 127

Berührung 118 f.

Berührungsreiz 117

Blut-Hirn-Schranke 97

C

Cannabis 152 f.

Cortison 67, 84 ff.

D

Dehydroepiandrosteron 86, 103,
s. a. DHEA

Dendriten 16 f.

DHEA 103 f.

Dopamin 62, 91 ff., 96 ff.
- Belohnungssystem 92
- Parkinson-Erkrankung 96
- Schizophrenie 96

Drogen 148

E

Ecstasy 157

Eierstöcke 65, 123, 125

elektrischer Reiz 60 f.

Elektrophysiologie 38

Endorphine 67, 139 f., 143 f.
- Geburt 146
- Rauschwirkung 145
- Schwangerschaft 140
- Sucht 145
- Verletzung 140

Enzyme 68, 70
- Abbau von Botenstoffen 70
- Aufbau von Botenstoffen 66, 68 f.

Erinnerung 53, 55 f., 108

G

Gage, Phineas 48, 51
Galvani 37
Gamma-Amino-Buttersäure
    (GABA) 101
Gefahr- und Notsituationen 50
Gefühlszentrum 51, 114
Gehirnareale 40–42
Gehirnhälften 42–46
– Geschlechtsunterschiede 45 f.
– Geschwindigkeit des Datenaus-
    tausches 45
Gehör 29–32
Geruch 35, 53 f., 56, 113, 115 f.
– Immunsystem 115
– Sympathievergabe 116
Geruchssinn 34 f., 112
Geschlechtshormone 123
Geschmack 32 f.
Geschmacksknospen 32 f.
Glück 87 f.
Großhirn 15
Großhirnhälften 15
Großhirnrinde 15 f., 51, 53 ff.

H

Halluzinogene 157
Haschisch 152
Haut 35, 116, 126
Hautzellen 36
Heroin 154
Hippocampus 55
Hoden 65, 123

Hormone 63 f., 66 f., 69, 71
Hörzellen 31
Hypophyse 14, 64 f.
Hypothalamus 14, 64 f.

I

innere Uhr 105
Insulin 67

J

Johanniskraut 98

K

Kokain 155 f.
Kopuline 113

L

Liebe 107
limbisches System 51 f., 57
LSD 157 f.

M

Mandelkern 49 ff., 54
Männerschweiß 112
Melatonin 67, 99 f.
– Alter 100
– Licht 99
Morphium 154

N

Nase 34
Nebennieren 65, 75, 78, 81
Nebennierenrinde 65
Nervenbahnen 17 f., 21 f., 24
– motorische 21, 23
– sensorische 21, 23
Nervensystem 22, 24
– autonomes 22
Nervenzellen 16 f., 61
Neurotransmitter 61 ff., 66, 69
Noradrenalin 62, 67, 79–82

O

Ohr 30 f.
Opiate 138, 154
Opium 138 ff., 154 f.
optische Reize 108
Orgasmus 131 f.
Östrogene 67, 123–127
– Befruchtung 127
– Haut 126
– Menstruationszyklus 126
– Sex 126
Oxytocin 67, 118–122, 130 f.
– Berührung 119
– Orgasmus 131 f.
– Schwangerschaft 120, 132
– sexuelle Erregung 121
– Treue 120 f.

P

Panik 73
Parasympathikus 23
PEA 93, 108 ff., 148
Phenylethylamin 67, 108,
    s. a. PEA
Pheromone 113
Positronen-Emissions-Tomographie
    (PET) 148
Positronen-Emissons-Tomograph 41
Progesteron 68, 123, 126
Pupillen 110 ff.

R

Reflex 21, 136
Reiz 38 f., 58, 61
– elektrischer 38
Reizbearbeitungsplätze 39 f., 42
Reize 40
Reizweiterleitung 60
Rezeptor 69
Riechzellen 34
Rückenmark 21, 23

S

Schlafmittel 102
Schmerz 135–142
Schmerzreiz 136
Schmerzrezeptoren 36, 135
Schwangerschaft 120, 132 f., 140
Schweiß 112
Schweißgeruch 115
Sehsinn 27

Sehzellen 28

Serotonin 62, 88–91, 94 f., 98

– aggressives Verhalten 95

– Angstgefühl 95

– Licht 89, 94

– Nahrung 89

– weiblicher Zyklus 94

Sex 123, 126, 129 f.

Sexualhormone 123

Sinnesorgane 26 f.

Sinneswahrnehmungen 25 f.

Sinneszellen 27

Stammhirn 12 f.

Stress 82 f.

Stresshormon 73–86

Stresssituation 77

Substanz P 62, 136, 138

Sympathikus 22

Synapse 61, 63

Synästhesie 39

T

Testosteron 68, 123 f., 128 ff., 133 f.

– Pille für den Mann 133 f.

– Sex 129 f.

Thalamus 13 f., 49 f., 53 f.

THC 152 f.

Thermozellen 36

Tryptophan 90, 97

V

Valium 103

Vasopressin 68, 130 ff.

VNO 113 ff.

Vomero-Nasal-Organ 113,
    s. a. VNO

W

Wut 78 f.

Z

Zirbeldrüse 65, 99, 104

Zwischenhirn 13 f., 42

Zwittersubstanz 66

Zyklus, weiblicher 94, 126